ÍNDICE

INTRODUCCIÓN

¡HOLA!

BIENVENIDO AL MANUAL DE CÓMO DIBUJAR

Minecraft ha sido una fuente de inspiración para un montón de personas creativas desde su lanzamiento, y muchos artistas han compartido con la comunidad unas obras de arte increíbles, y es que... ¡hay muchísimas cosas en Minecraft capaces de desatar tu imaginación!

En este libro, te enseñaremos qué capacidades debes desarrollar para iniciarte como dibujante en Minecraft. Encontrarás instrucciones paso a paso para dibujar tus mobs favoritos, pero también estructuras y plantas. Y al final del libro, aplicarás todo lo que has aprendido dibujando una escena de Minecraft genial.

Hay páginas en este manual donde podrás poner en práctica tus habilidades, aunque solo si eres su dueño; no queremos enfadar a ningún amigo ni a ningún bibliotecario, ¿verdad? De todos modos, será mejor que primero prepares unas cuantas hojas, un lápiz, un sacapuntas y una goma de borrar.

¡A DIBUJAR!

FUNDAMENTOS BÁSICOS

PARA EMPEZAR

Ya seas un artista en ciernes o estés dando tus primeros pasos, recuerda siempre que no importa que tus dibujos no sean exactamente iguales a los que aparecen en este tomo; de hecho, ¡eso debería ser motivo de celebración! Imagínate que los dibujos de todo el mundo fueran iguales. Qué aburrimiento, ¿no? Las explicaciones paso a paso que te damos en este libro tienen como fin enseñarte a dibujar las formas más básicas, pero en cuanto hayas aprendido a hacer eso, modifícalas como te dé la gana hasta hallar tu propio estilo.

Ahora que hemos dejado claro que todas tus creaciones van a ser ALUCINANTES, entremos en harina. Puedes avanzar página a página o dirigirte a la sección donde te enseñemos a dibujar el mob que te apetezca: ¡tú eliges! ¡Pero lo más importante de todo es que te diviertas!

MATERIAL

- [ ] Papel
- [ ] Lápiz
- [ ] Goma
- [ ] Sacapuntas
- [ ] Regla

CONSEJOS

1 NO PRESIONES DEMASIADO

Presiona el lápiz sobre el papel lo suficiente como para que se vea lo que dibujas, pero procura no apretar demasiado, pues será más difícil borrar los errores; ¡sobre todo si estás dibujando una cuadrícula en la cara de un mob!

2 NO INTENTES SER PERFECTO

Con este manual debes divertirte tanto como con Minecraft. No te preocupes si los dibujos no te salen como esperabas: para dibujar, hay que practicar, así que cuanto más practiques, más mejorarás. ¡Y a veces los dibujos menos perfectos son los más interesantes!

3 EXPERIMENTA

Aunque te vamos a guiar paso a paso, podrás cambiar la posición de las extremidades de los mobs, modificarlos y probar distintas perspectivas. ¡Hasta podrás valerte de las habilidades que vayas adquiriendo para crear tu mob!

¿2D O NO?

Todos los iconos de Minecraft están hechos de píxeles: son esos cuadraditos que conforman las imágenes en un aparato tecnológico. En las pantallas normales de un PC o una tele, los píxeles son tan diminutos que ni siquiera se ven; sin embargo, en Minecraft nos encanta la estética pixelada.

Aquí tienes muchos ejemplos de iconos que puedes dibujar. Empieza por arriba o abajo y dibuja todos los píxeles línea a línea, luego sombréalos (consulta la página 18 para ver cómo hacerlo).

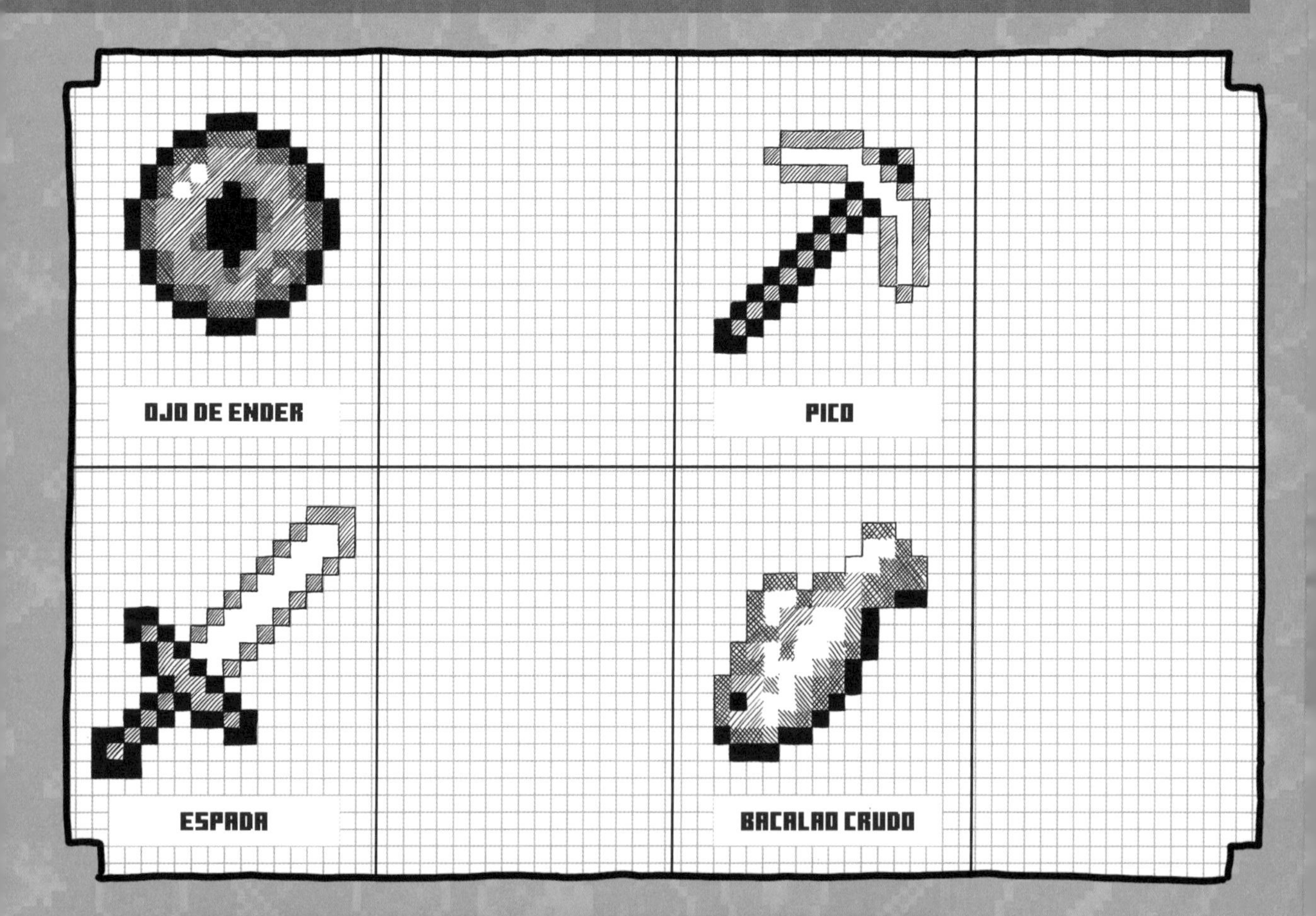

CONSEJO

La forma más fácil de dibujar iconos es sobre papel cuadriculado o punteado; si no tienes, puedes hacer la cuadrícula tú mismo o dibujar tus iconos sin ella.

Como todos sabemos, muchas cosas en Minecraft están en 3D (los bloques, los mobs, el mundo…), pero también hay imágenes en 2D, así que vamos a empezar con esas. Las principales imágenes en 2D son, como habrás adivinado…, ¡los iconos! Hay un icono para casi todo en Minecraft, y los encuentras en tu inventario. En modo Supervivencia, tendrás que buscarlos primero en el juego.

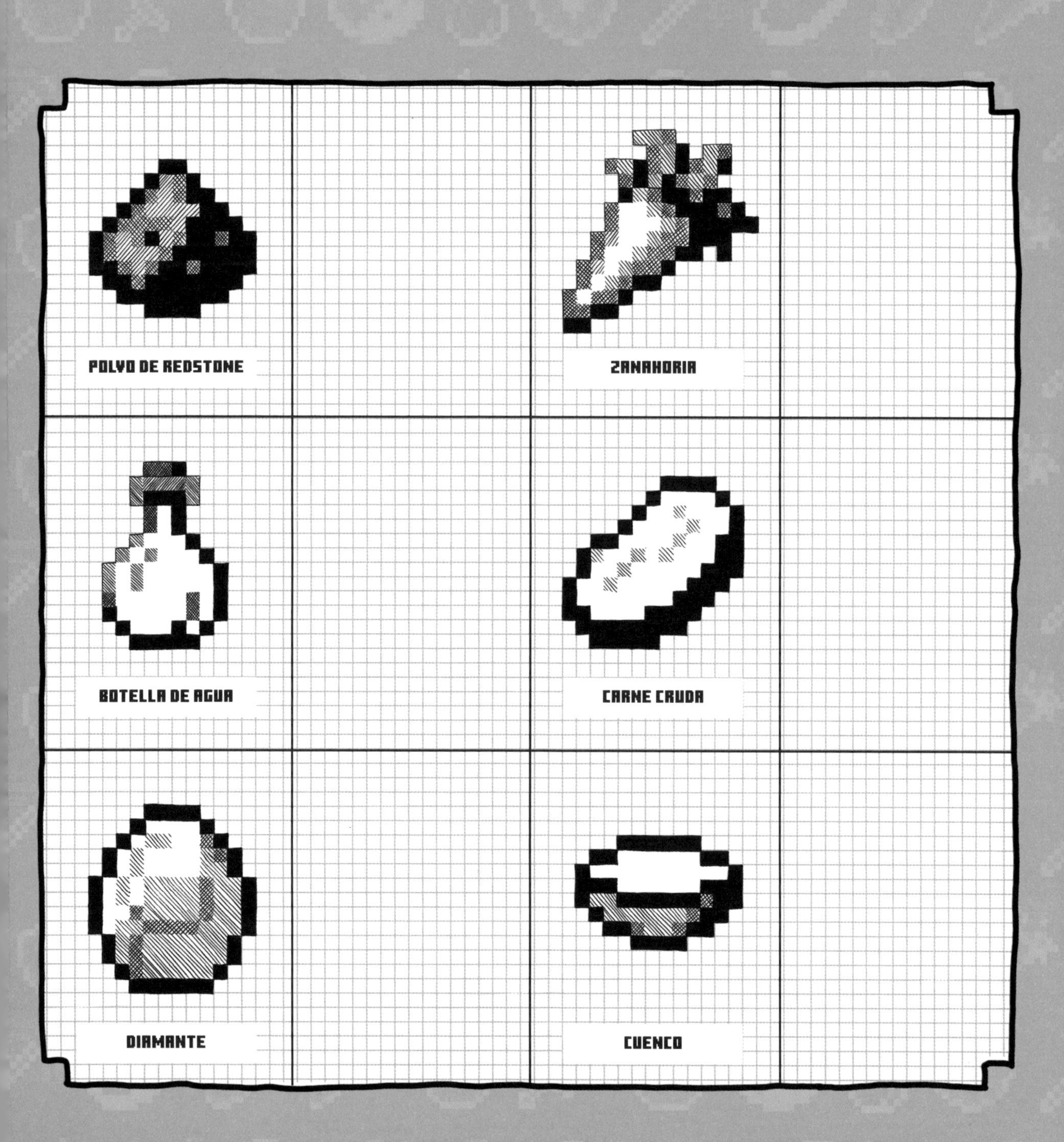

LOS ESTANDARTES

Aquí tienes algunas ideas para empezar. ¡Dibuja diseños originales en los estandartes en blanco que tienes abajo! Puedes usar un lápiz para probar diferentes sombreados (ver la página 18) o utilizar lápices de colores.

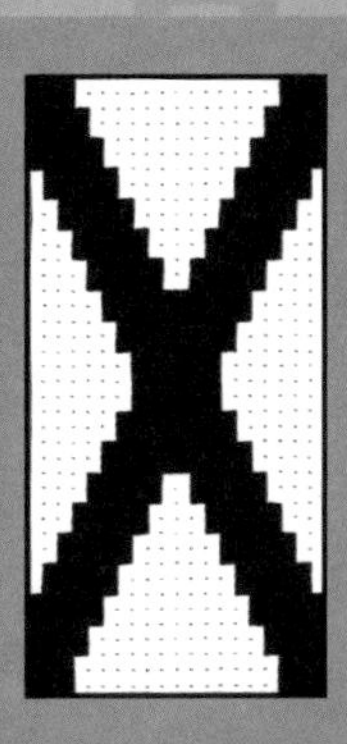

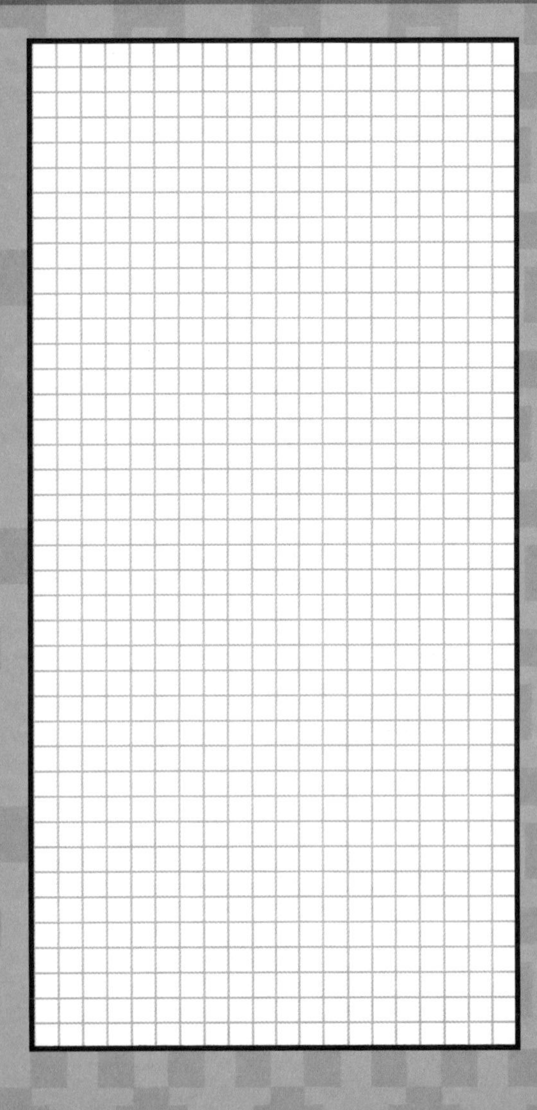

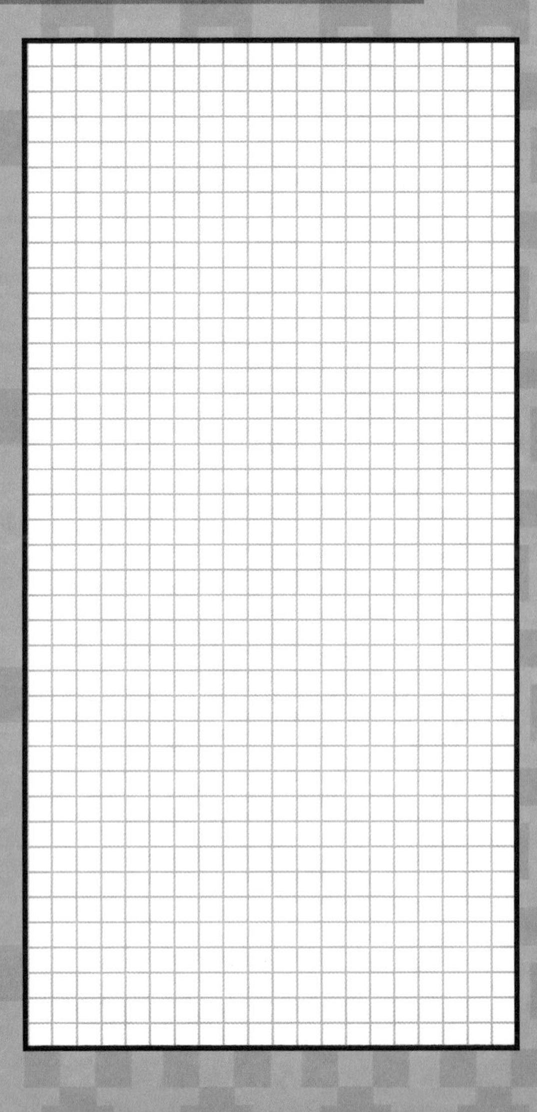

Los estandartes te permitirán decorar tus edificios y dotar a tu mundo de un estilo propio. Como los iconos, están hechos de píxeles y puedes usar colores diferentes para crear una imagen o un patrón. ¿Qué puedes dibujar? A tu mob favorito, el personaje con el que estás jugando o incluso un escudo de armas. ¿Por qué no los dibujas antes de construirlos en el juego?

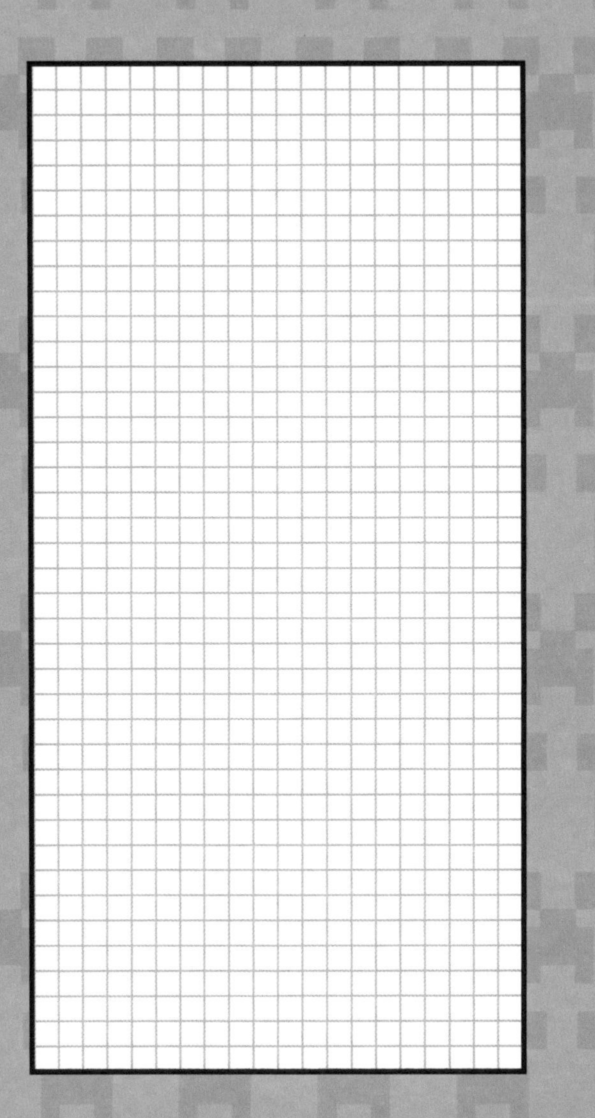

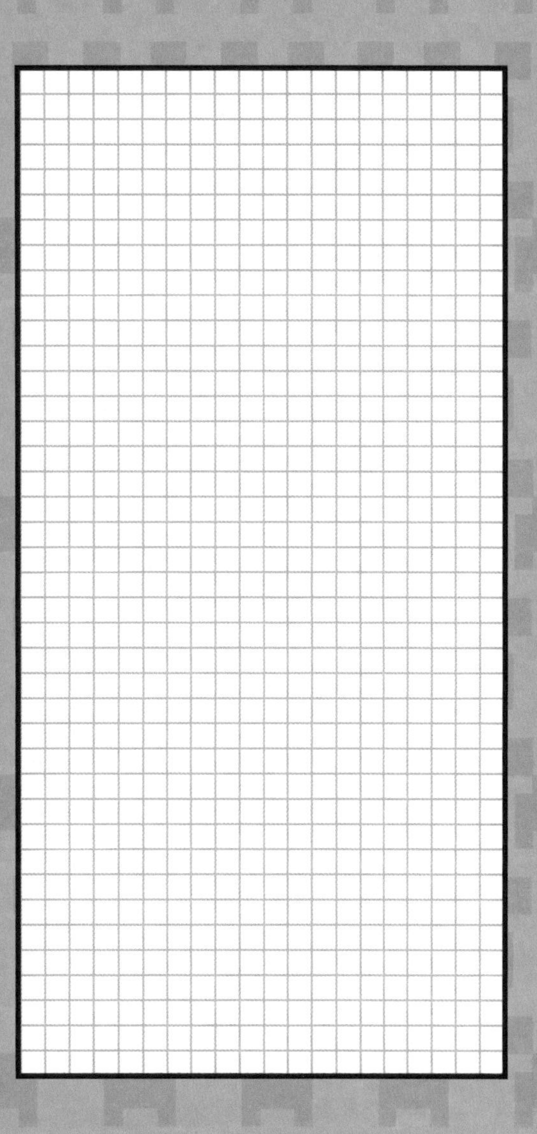

CONSEJO

Si usas tus propias hojas, debes saber que los estandartes tienen 20 cuadrados de ancho y 40 de alto. Aunque es más fácil dibujar en papel cuadriculado, nada te impide agarrar una regla y dibujar tú mismo una cuadrícula.

EL DIBUJO ISOMÉTRICO

¿UN CUBO O UN ORTOEDRO?

Las caras de los cubos, como en los bloques, son cuadradas, mientras que en un ortoedro pueden ser rectangulares. Los bloques típicos de Minecraft son cubos, mientras que la mayoría de los mobs están hechos de ortoedros.

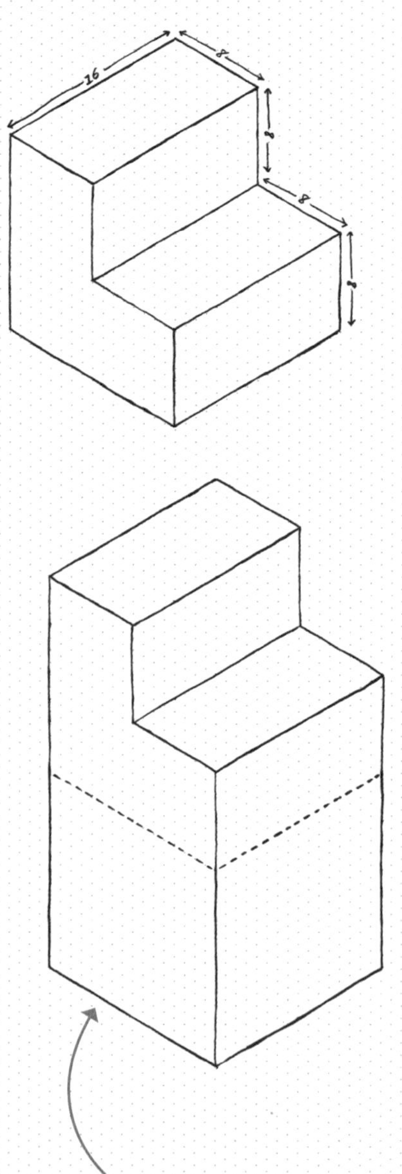

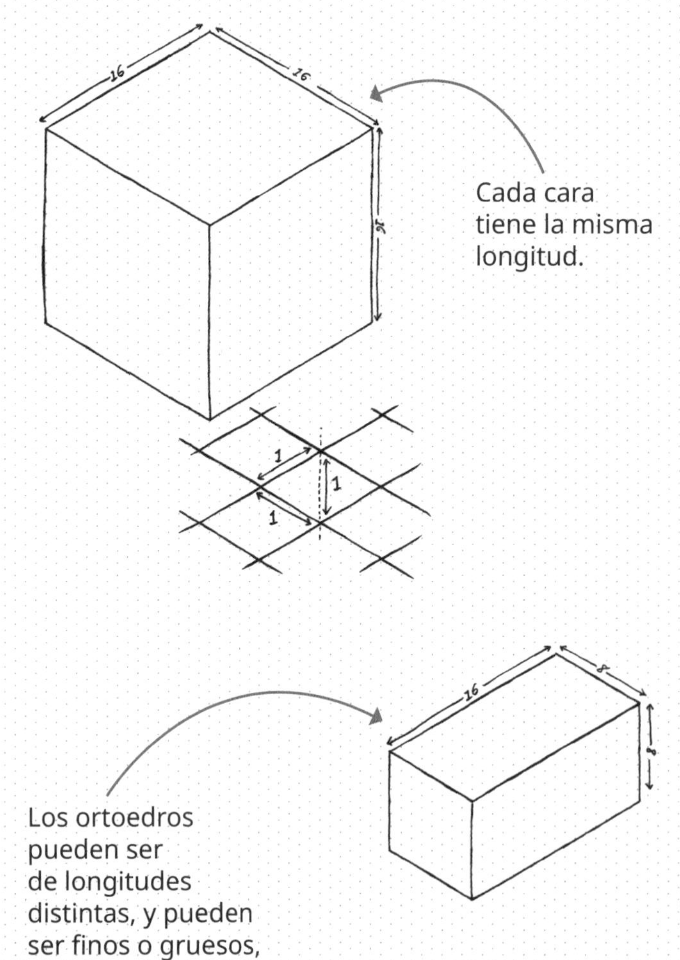

Cada cara tiene la misma longitud.

Los ortoedros pueden ser de longitudes distintas, y pueden ser finos o gruesos, largos o cortos.

Combina ortoedros y cubos para obtener otras formas, como unas escaleras, por ejemplo.

Todo el mundo sabe que este es un mundo de bloques. Así que tendrás que delinear cubos y ortoedros para dibujar cualquier cosa en 3D en Minecraft. Para los cubos, lo mejor que puedes hacer es dibujarlos en un papel isométrico, ya que está diseñado para ayudarte a dibujar unos cubos perfectos con solo unir los puntos.

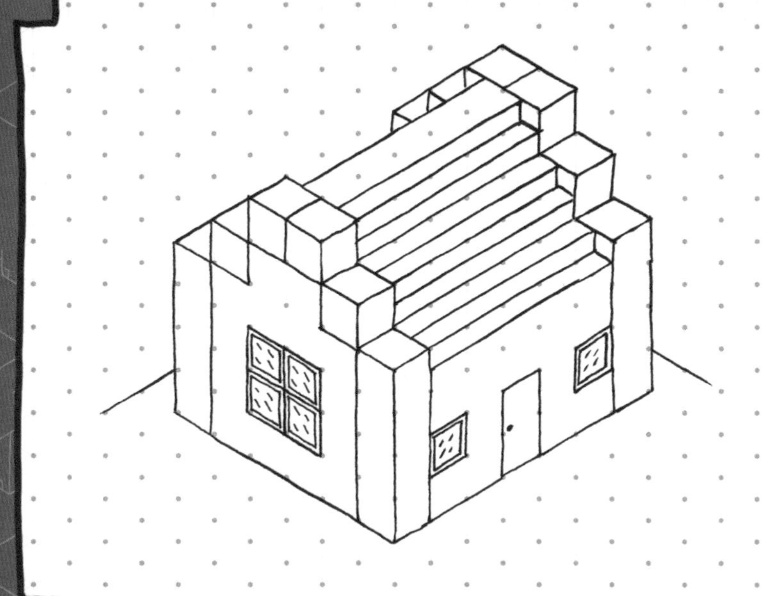

¡EL PAPEL ISOMÉTRICO ES GENIAL!

Mezcla cubos y ortoedros para crear cualquier cosa, ¡incluso casas! Al unir los puntos en el papel isométrico (o siguiendo las líneas en una hoja cuadriculada), podrás dibujar fácilmente cubos y ortoedros y apilarlos unos encima de otros para crear figuras distintas.

¿ESTO TIENE ALGUNA DESVENTAJA?

Dibujar cubos en papel isométrico es superfácil, pero tiene una desventaja: solo puedes dibujar desde un ángulo. Aunque esto es fantástico para empezar, podría acabar limitando tu creatividad. Así que no tienes por qué usar siempre esta clase de papel: ¡dibuja como quieras!

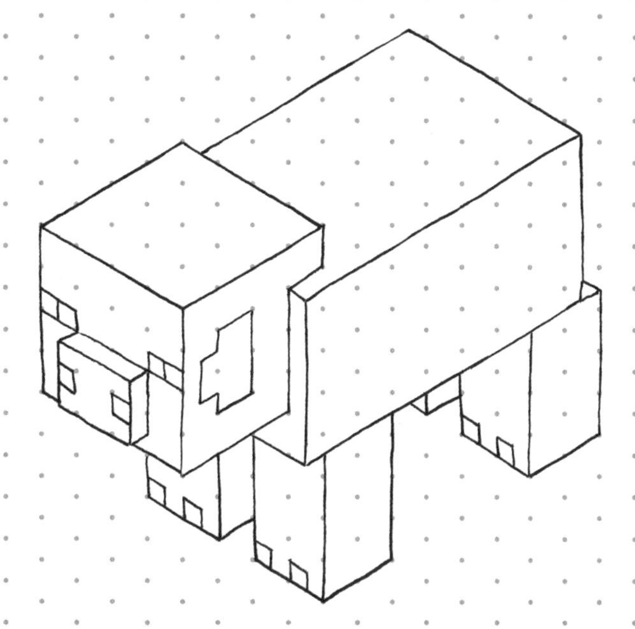

EL DIBUJO ISOMÉTRICO

En esta página, puedes dibujar en un papel isométrico: a ver qué figuras eres capaz de crear. Comienza con un cubo y un ortoedro; luego, cuando tengas eso dominado, ya estarás listo para unir esas formas y crear otras. ¿Por qué no intentas dibujar la casa y el cerdo de la página 11?

CUBOS Y CUADRÍCULAS

Fíjate en esta serie de bloques. Tenemos de todo: hierba, mineral de hierro, dinamita, una mesa de trabajo y una calabaza tallada. Dibuja un cubo y luego añádele detalles siguiendo la cuadrícula isométrica para que tus bloques tengan un aspecto 3D. Con las técnicas de sombreado de la página 18 o usando lápices de colores, ¡tus bloques realmente sobresaldrán de la página!

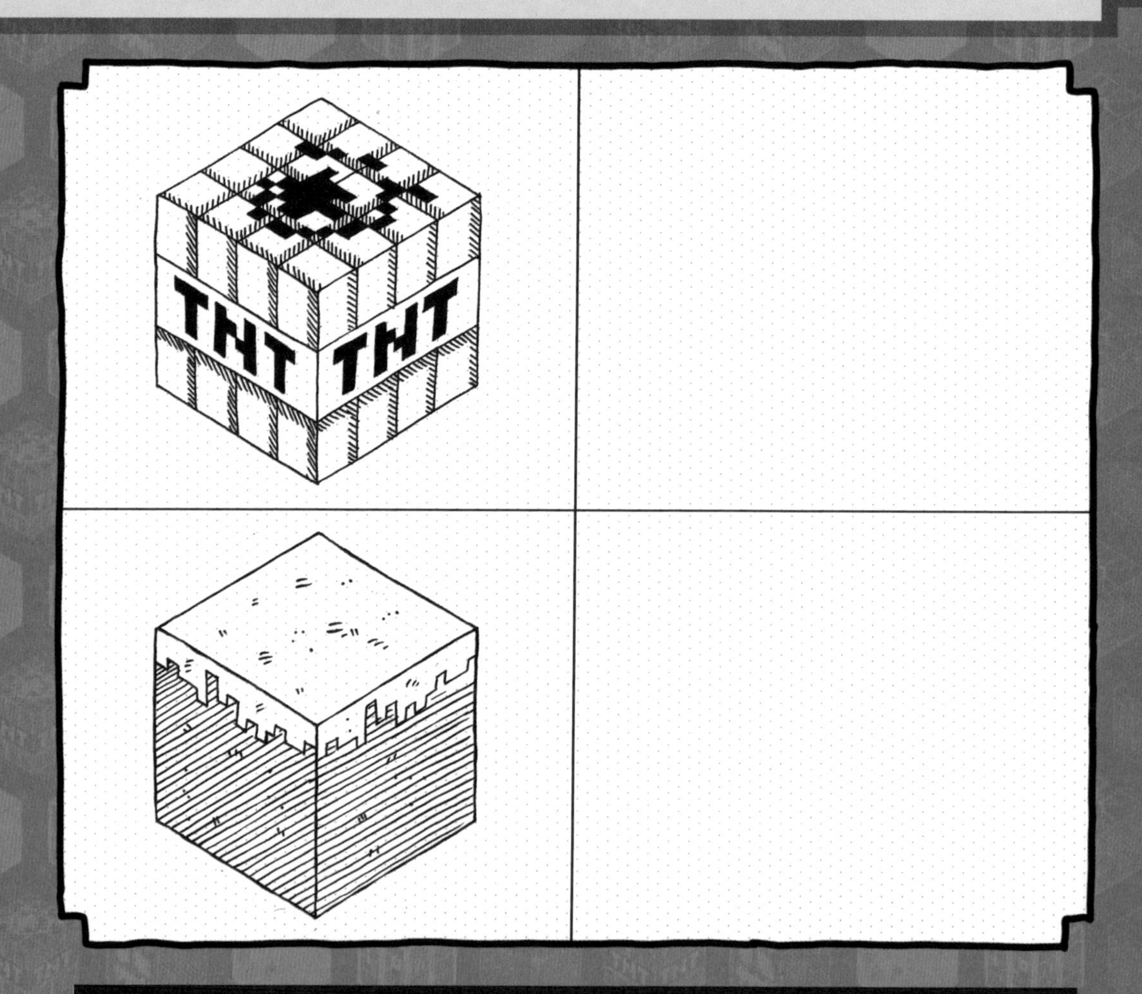

CONSEJO

Cada cara de un bloque cuenta con una textura de 16×16. Dibuja una cuadrícula con esa medida muy suavemente en cada cara y sírvete de ella para añadir detalles y que tus bloques tengan el mismo aspecto que en el juego.

Ya dominas el dibujo de los cubos..., ¡es hora de aprender a añadir más detalles a tus bloques! Hay más de 150 bloques en Minecraft, con sus texturas y patrones. Los hay sencillos, como los de nieve y hormigón, y otros complicados, como los de las mesas de trabajo y las calabazas talladas.

LA PERSPECTIVA

¿QUÉ SON LOS PUNTOS DE FUGA?

Los puntos de fuga son unos puntos lejanos donde las líneas se encuentran. Por ejemplo, imagínate que estás contemplando una carretera muy larga. La carretera no tiene siempre la misma anchura, ¿verdad?; parece estrecharse cuanto más se aleja... hasta que dirías que sus dos lados se encuentran en el horizonte. ¡Ese es el punto de fuga! Genial, ¿verdad?

LA PERSPECTIVA DE UN SOLO PUNTO

En el ejemplo de la carretera, solo hay un punto de fuga. Si extendemos las líneas de todos estos cubos, se unen en un solo punto, ¿verdad? Podemos usar esta perspectiva de un solo punto para dibujar cubos que están de frente desde cualquier ángulo.

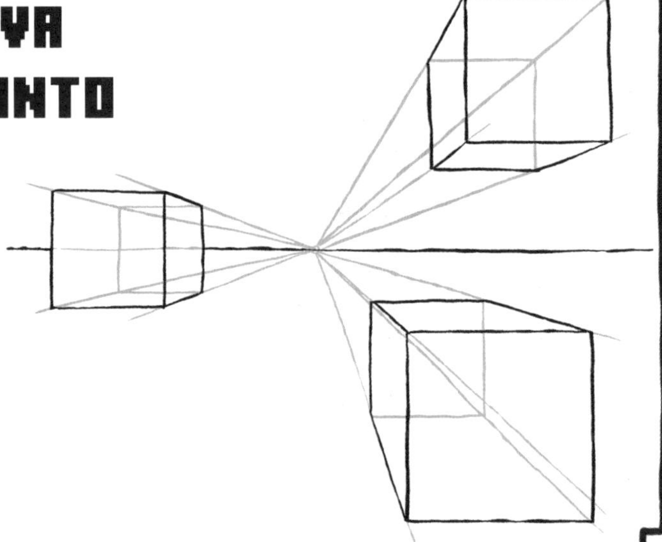

CONSEJO

Dibuja suavemente los puntos de fuga, ya que así te aseguras de que tus cubos y ortoedros están dibujados correctamente sin tener que usar un papel isométrico. Esto es especialmente útil cuando creas una escena con muchos cubos para cerciorarte de que todos estén dibujados de una forma correcta.

¡Felicidades! Ya has logrado hacer cubos en un papel isométrico, pero ¿cómo vas a dibujar cubos desde ángulos distintos? Aquí es donde entran en juego la perspectiva y los puntos de fuga. ¡Ármate de paciencia, pues las cosas se van a complicar un poco!

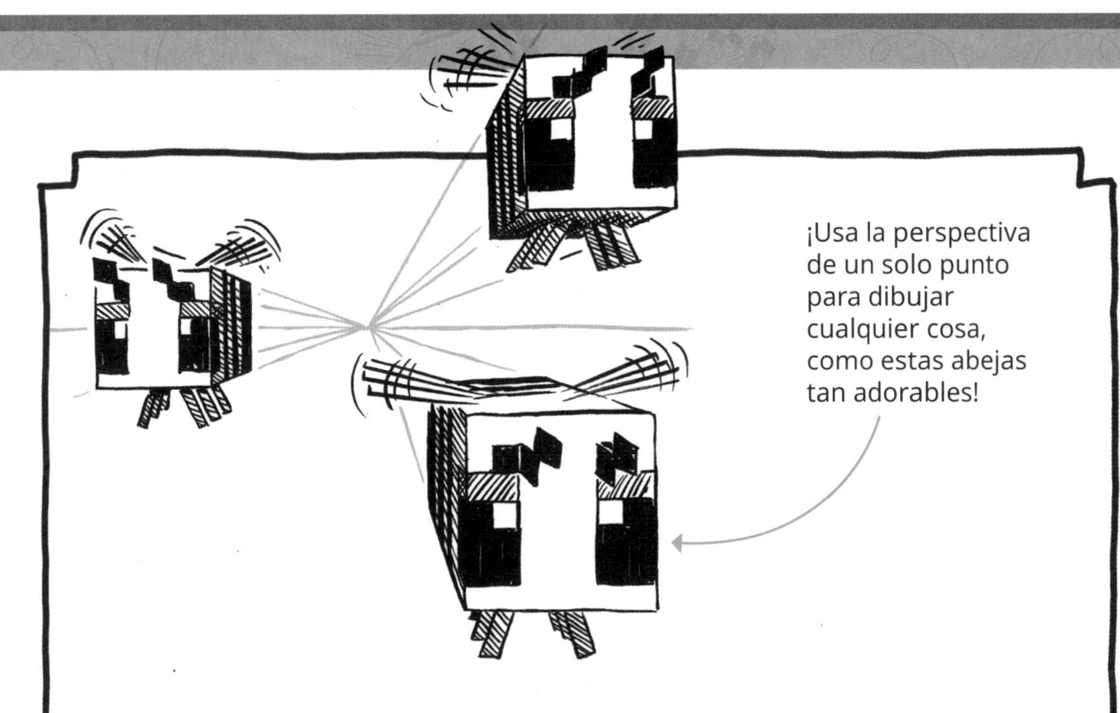

¡Usa la perspectiva de un solo punto para dibujar cualquier cosa, como estas abejas tan adorables!

LA PERSPECTIVA DE DOS PUNTOS

Esta es la perspectiva que más vamos a usar en este libro: es la que se tiene cuando miras algo desde un lateral. Se llama perspectiva de dos puntos porque tiene dos puntos de fuga. Fíjate en este cubo: si unimos las líneas de ambos lados, ¿ves cómo se acaban encontrando en dos puntos de fuga?

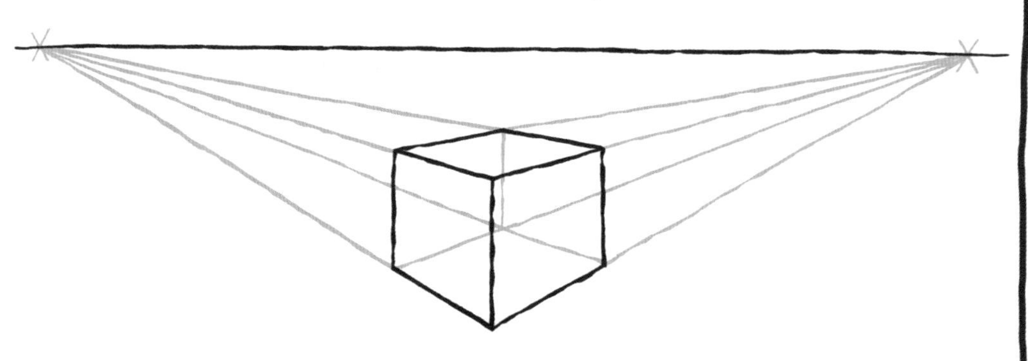

¿Te resulta complicado? Cuesta pillarlo al principio, pero no dejes de practicar. De todos modos, ¡tus dibujos seguirán siendo geniales!

LUCES Y SOMBRAS

¿QUÉ ES EL SOMBREADO?

Consiste en usar rayas (paralelas o cruzadas) para crear zonas sombreadas; cuanto más oscura quieras que sea la sombra, más rayas tendrás que dibujar. Si quieres que sea muy oscura, cúbrela con una mancha negra.

Sombreado tenue

Sombreado medio

Sombreado oscuro

¿CÓMO DECIDES DÓNDE COLOCAR LAS SOMBRAS?

Cuando quieres sombrear algo, viene bien pensar en una sola fuente de luz, como el sol o alguna luz interior. Si colocas un objeto ante una fuente de luz, los lados que no miran hacia esa luz estarán oscuros. Nos basaremos en ese principio al sombrear. Primero, escoge una fuente de luz (incluso puedes dibujar un sol o una flecha que te ayude a visualizarla, que luego borrarás); después, sombrea los lados que no estén iluminados.

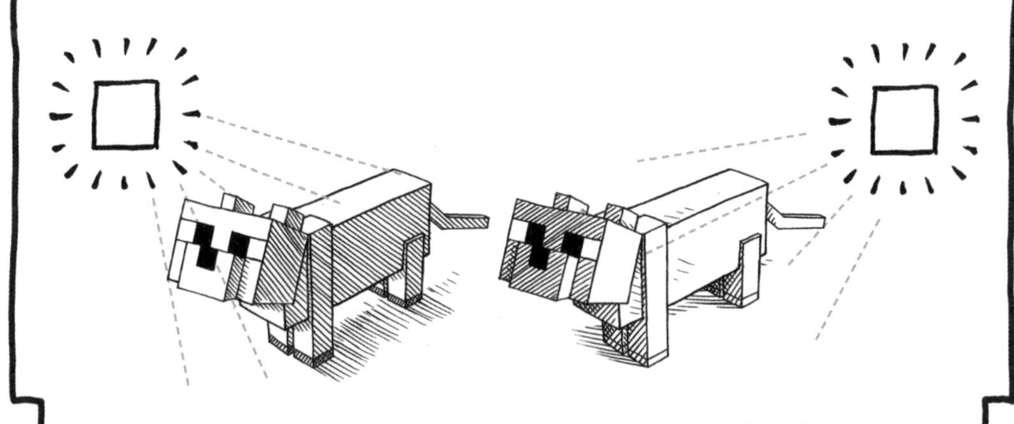

¡Ahora tus dibujos ya tienen un aspecto 3D! Puedes sombrear de tres maneras: presionando más con el lápiz para crear zonas más oscuras; utilizando rayas en diagonal o entrecruzadas para crear diversos tonos, o, si dibujas a color, con tonalidades más claras u oscuras. En este libro, hemos optado por el sombreado con rayas.

TU RETO

Toca practicar. Sombrea estos dos cerdos con la técnica de rayado que acabamos de ver. Fíjate que cada uno tiene una iluminación distinta.

EL DELFÍN

Piénsatelo antes de atacar a un delfín: ¡tendrás que enfrentarte a todo el estanque!

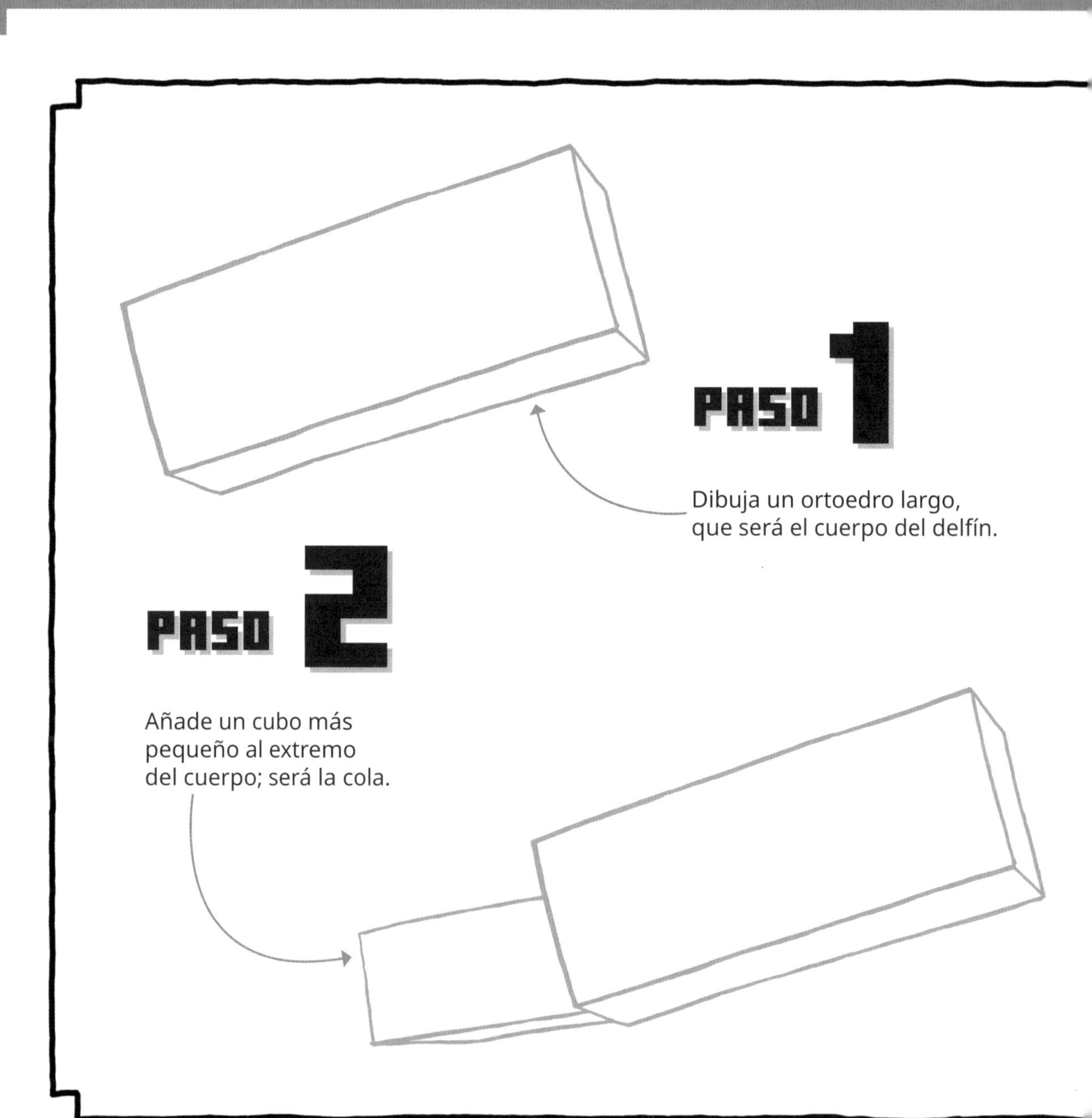

PASO 1

Dibuja un ortoedro largo, que será el cuerpo del delfín.

PASO 2

Añade un cubo más pequeño al extremo del cuerpo; será la cola.

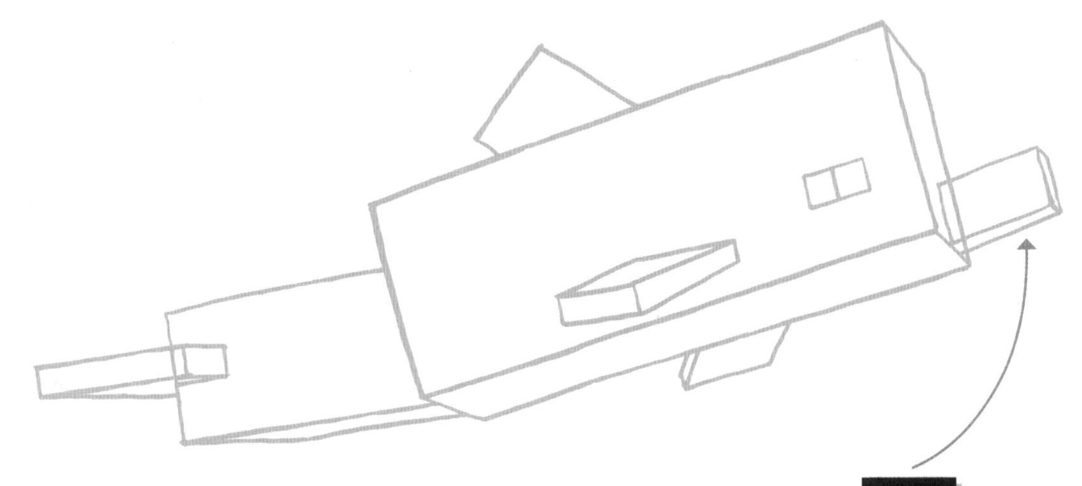

PASO 3

Añade unos cubos finos como aletas y hocico, y dos cuadrados, que serán el ojo. Dibuja la aleta de la cola.

PASO 4

Sombrea la figura y añade ondas y círculos para que dé la sensación de que está buceando.

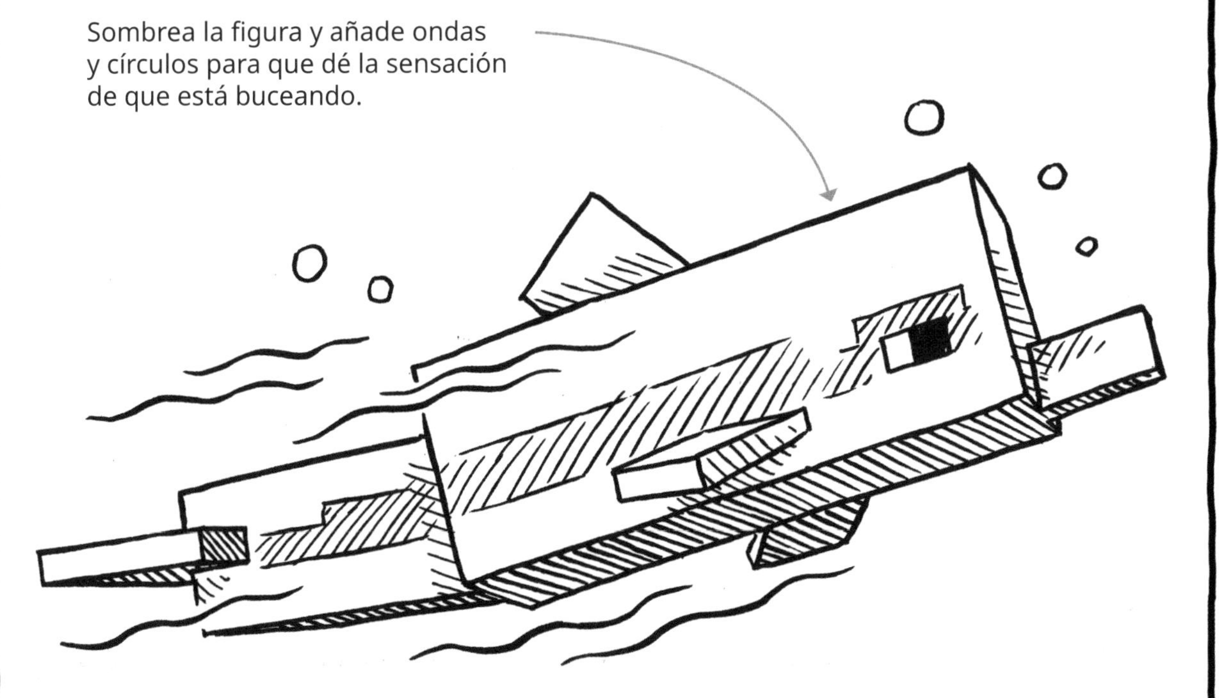

LA ABEJA

Con una fogata bajo su colmena o nido, evitarás el ataque de las abejas cuando robes su miel.

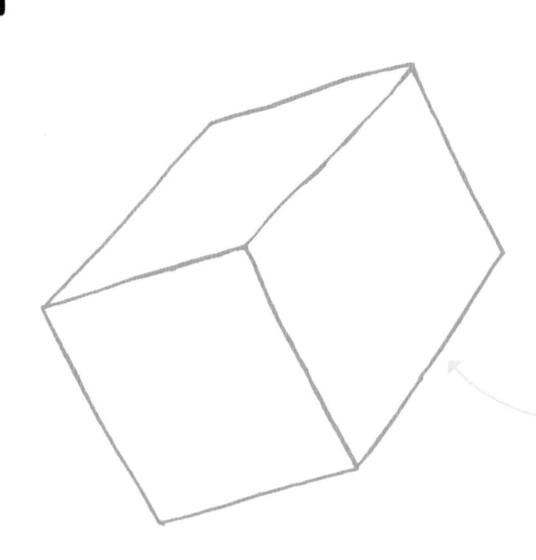

PASO 1

Dibuja un cubo inclinado hacia abajo; será el cuerpo de la abeja.

PASO 2

Un cuadrado y un rectángulo unidos en ambas esquinas serán las antenas, y cuatro rectángulos abajo, las patas.

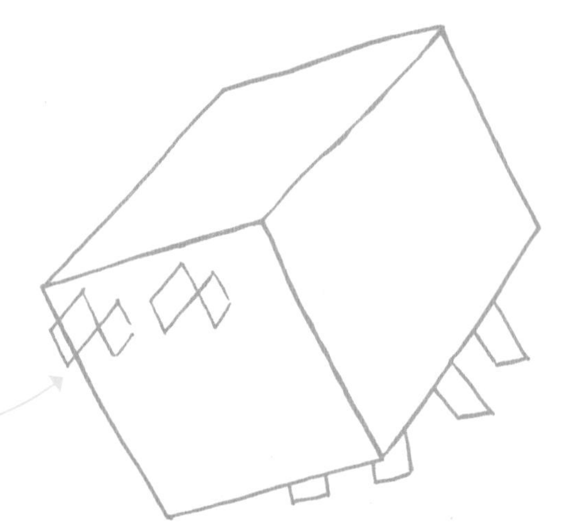

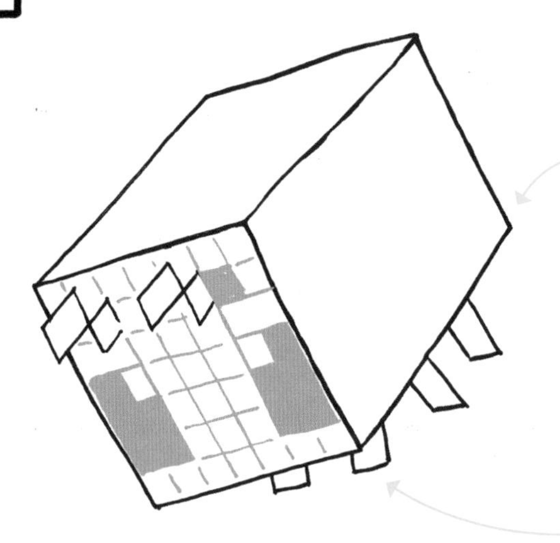

PASO 3

Una cuadrícula de 7×7 será la cara. Sombréala para lograr unos rasgos adorables.

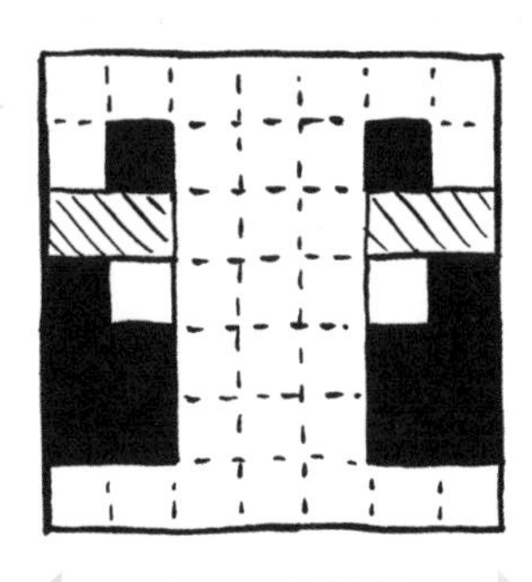

PASO 4

Dos rayas serán las alas; varias líneas extra darán sensación de movimiento. Añade el sombreado, unas rayas negras y un garabato que muestre la trayectoria de vuelo.

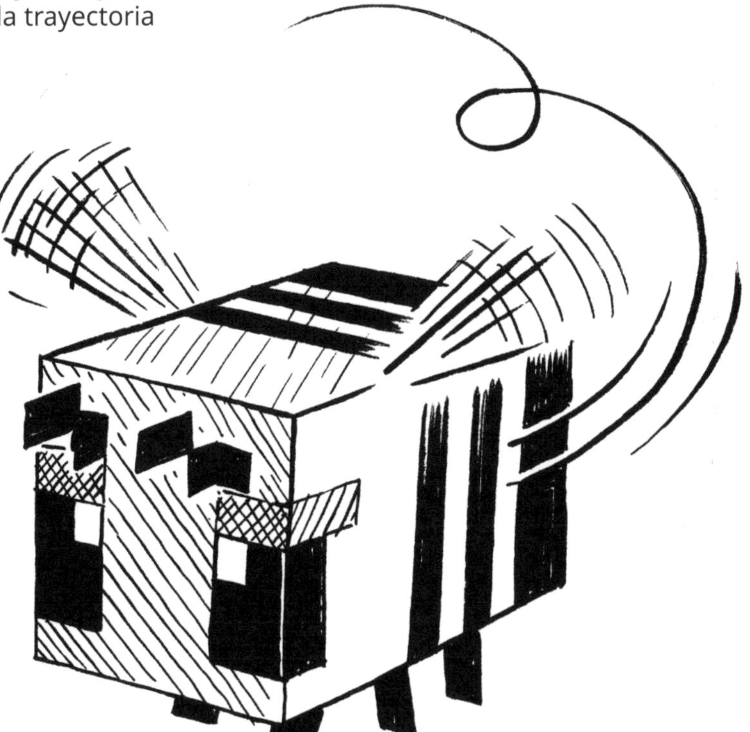

BUZZ

EL CERDO

Cuidado con los cerdos: si los alcanza un rayo, ¡se convierten en piglins zombis!

PASO 1

Dibuja un bloque rectangular robusto; será el cuerpo del cerdo.

PASO 2

Dibuja un cubo estrecho con un ángulo algo distinto, así parecerá que tu cerdo mira hacia arriba.

PASO 3

Dibuja cuatro cubos en ángulos distintos; serán sus patas en movimiento.

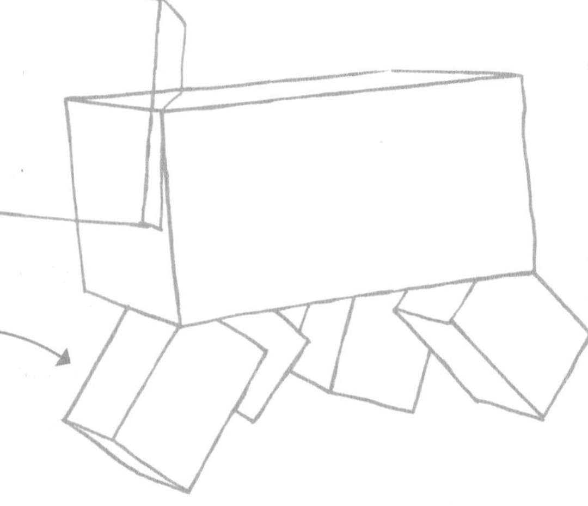

PASO 4

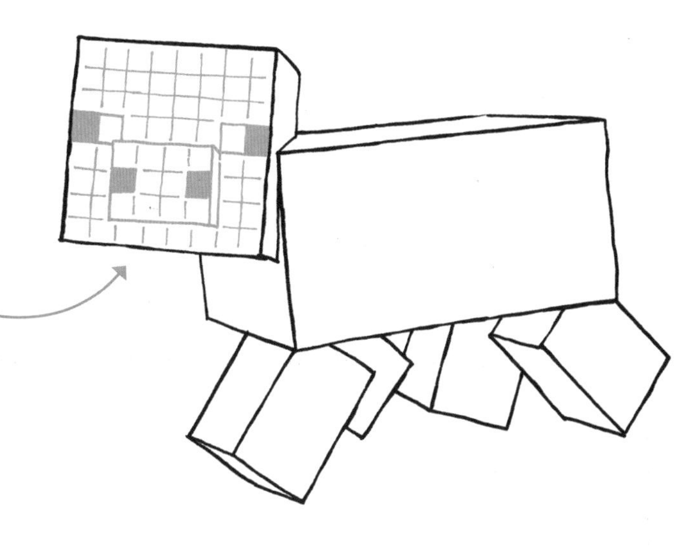

Haz con suavidad una cuadrícula de 8×8 en la cara y copia sus facciones. Borra la cuadrícula y deja los ojos y el hocico.

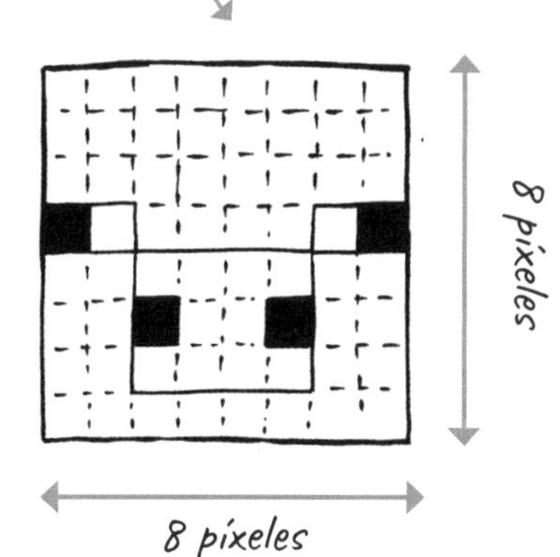

PASO 5

Añade las sombras y unas líneas bajo el cuerpo y las patas para que parezca que está corriendo.

¡OINC!

¡OINC!

EL CERDITO

¿Qué hay más mono que un cerdo? ¡Pues un cerdito! Un cerdito tarda veinte minutos en convertirse en un cerdo.

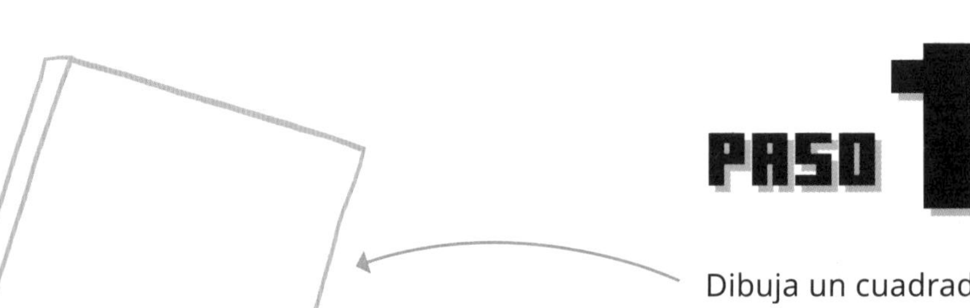

PASO 1

Dibuja un cuadrado inclinado para la cabeza y luego conviértelo en un ortoedro fino.

PASO 2

La cabeza es más grande que la de un cerdo en relación al cuerpo, así que hazlo con un ortoedro menor que la cabeza.

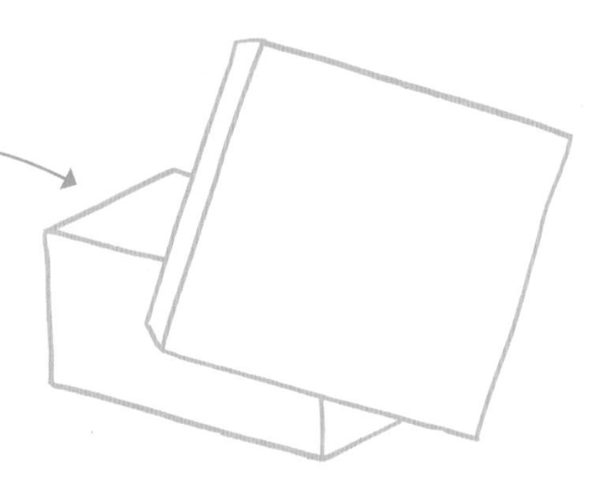

PASO 3

Cuatro ortoedros con distintos ángulos serán las patas del cerdito.

PASO 4

La cara de tu cerdito se puede dibujar con una cuadrícula de 8×8.

PASO 5

Sombréalo y agrégale unos cuadraditos como dedos de sus patas.

LA RANA

¡Lleva un renacuajo a otro bioma y verás qué color tiene al transformarse en rana!

PASO 1

Dibuja un ortoedro, que será la mandíbula inferior de la rana.

PASO 2

Añade un ortoedro fino, que será la parte superior, como ves aquí.

PASO 3

Añádele tres ortoedros en la parte inferior, que harán las veces de patas.

PASO 4

Agrégale dos ortoedros encima, que serán los ojos, y unas cruces planas a las patas como manos. Luego, quita un rectángulo de la parte inferior de la boca y añádele la lengua.

PASO 5

Haz una cuadrícula sobre la cara y los ojos para trazar los rasgos faciales.

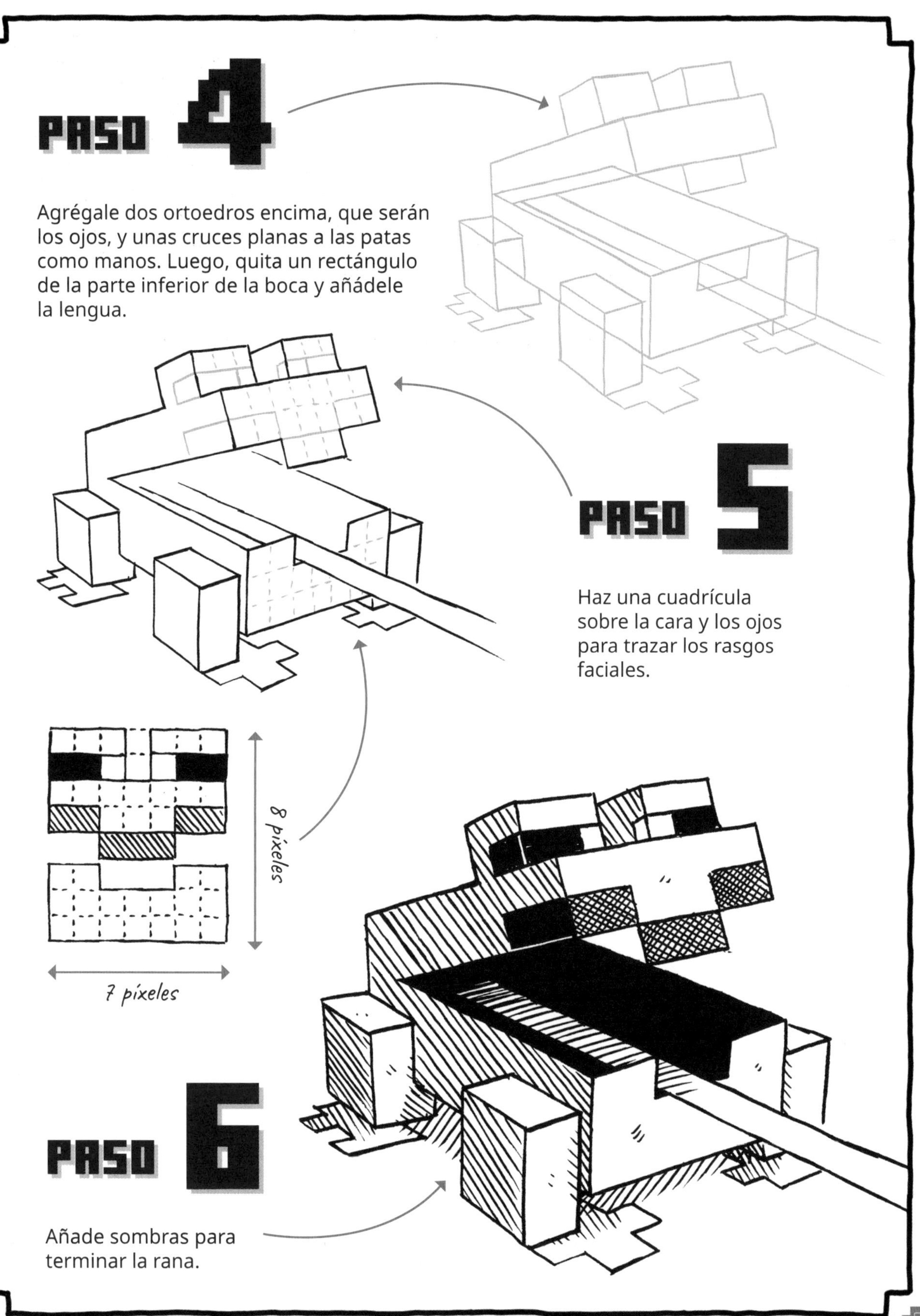

PASO 6

Añade sombras para terminar la rana.

LA VACA

¿Sabías que si le quitas los champiñones a una champiñaca tendrás una vaca?

PASO 1

Dibuja el ortoedro que será el cuerpo.

PASO 2

La cabeza será un cuadrado con un ligero aspecto 3D al dibujarle un borde fino a la derecha.

PASO 3

Cuatro ortoedros en ángulos dispares serán las patas, y dos rectángulos, las orejas.

Dibuja la cara de tu vaca
con una cuadrícula
de 8×8.

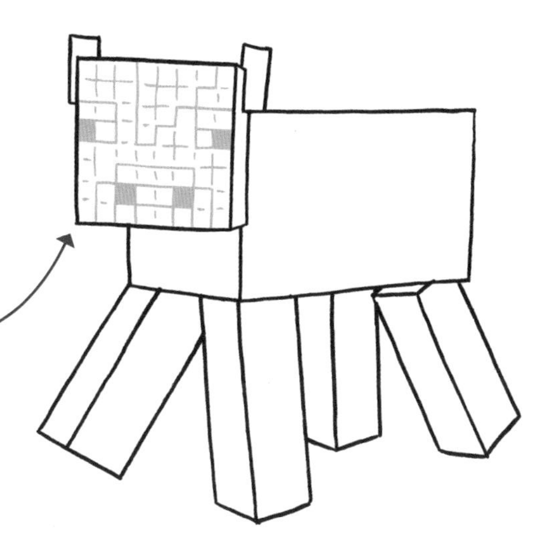

Una vaca no está completa
sin manchas. Dibújalas usando
el sombreado con rayas.

LA CHAMPIÑACA

Con unos ojos negros
y unos champiñones, tendrás
una champiñaca. ¡Qué monada!

EL CALAMAR

¿Harto de usar señales normales? ¡Con una tinta brillante, tu texto relucirá en la oscuridad!

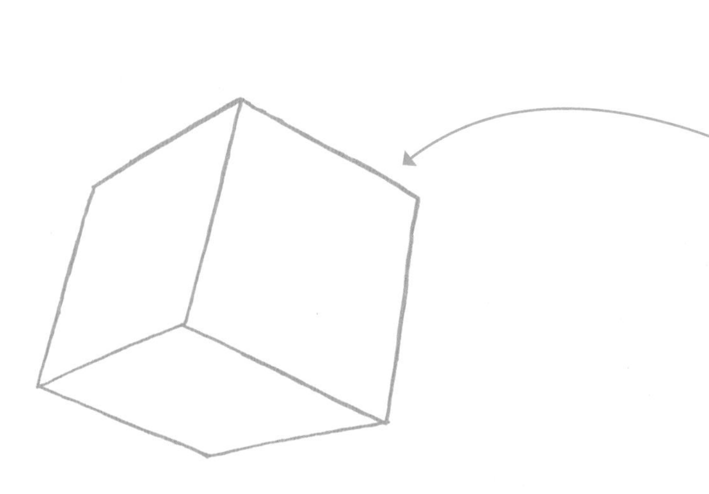

PASO 1

Dibuja un cubo grande inclinado hacia arriba, que será el cuerpo.

PASO 2

Añade seis ortoedros largos bajo el cuerpo, que serán los tentáculos del calamar brillante.

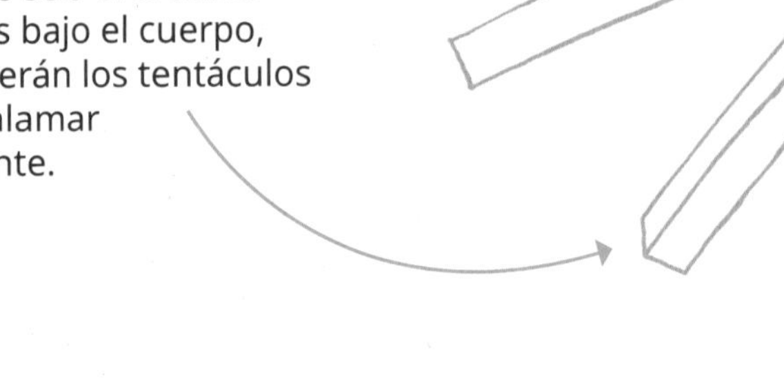

Dibuja rectángulos
en el cuerpo con unos
más pequeños dentro.

PASO 4

Sombrea el cuerpo, pero deja un espacio en blanco en medio de cada cara y en la parte superior de los tentáculos. Dibuja líneas onduladas y círculos para que parezca que nada.

LA CABRA

¡No temas a las cabras! ¿Sabías que si pones un balde debajo de una podrás ordeñarla?

PASO 1

Dibuja un cubo grande y fino, que será el cuerpo.

PASO 2

Añade un rectángulo pequeño en el lado derecho.

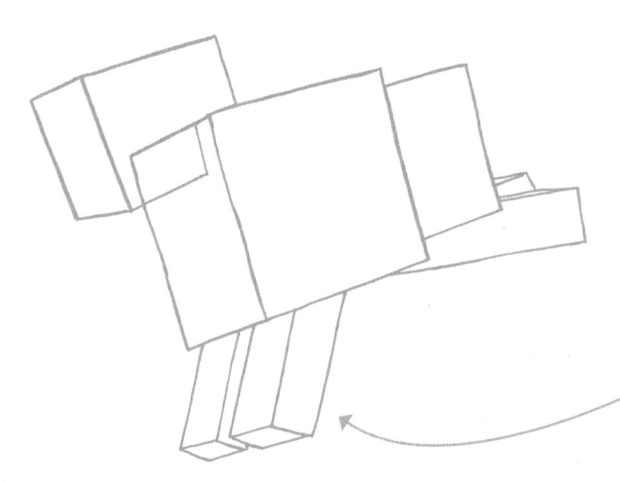

PASO 3

Dibuja dos ortoedros en la parte frontal del cuerpo y dos en la posterior. Suma un cubo, como ves aquí, que será la cabeza.

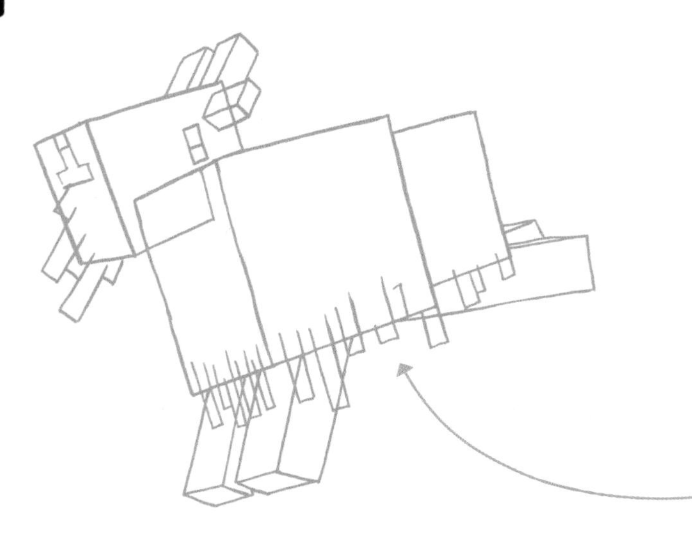

PASO 4

Unos rectángulos en la parte baja del cuerpo y en la barbilla serán el pelaje. Dibuja los ojos y el hocico y ponle tres cubos sobre la cabeza, que serán los cuernos y la oreja.

PASO 5

Sombrea la cabra. Con unas líneas curvas detrás, dará la sensación de que está saltando.

EL AJOLOTE

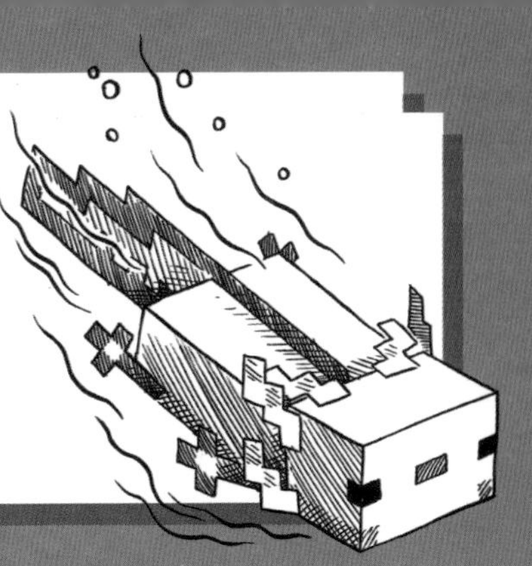

Este mob comparte atributos con los ajolotes del mundo real, como regenerarse y hacerse el muerto.

Dibuja un ortoedro pequeño, que será la cabeza, y luego añade otro detrás, el doble de largo pero un poquito más bajo.

PASO 2

Añade la cola recorriendo el cuerpo y hazle tres muescas en la parte final.

PASO 3

Dibuja cruces, que serán las patas, y figuras en zigzag en la cabeza.

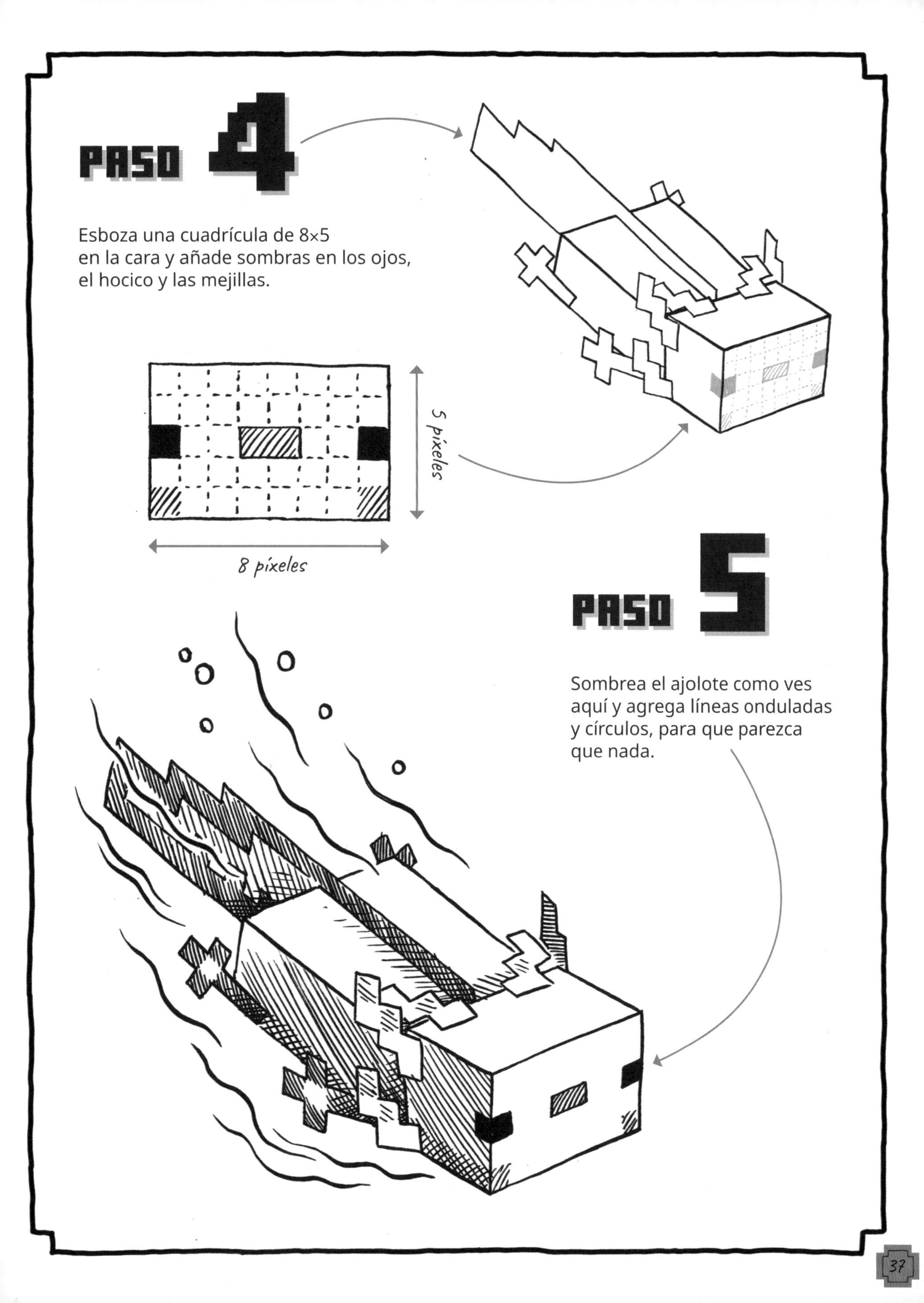

PASO 4

Esboza una cuadrícula de 8×5 en la cara y añade sombras en los ojos, el hocico y las mejillas.

PASO 5

Sombrea el ajolote como ves aquí y agrega líneas onduladas y círculos, para que parezca que nada.

EL CONEJO

¿Te has fijado en que los conejos tienen un color distinto según en qué bioma estés?

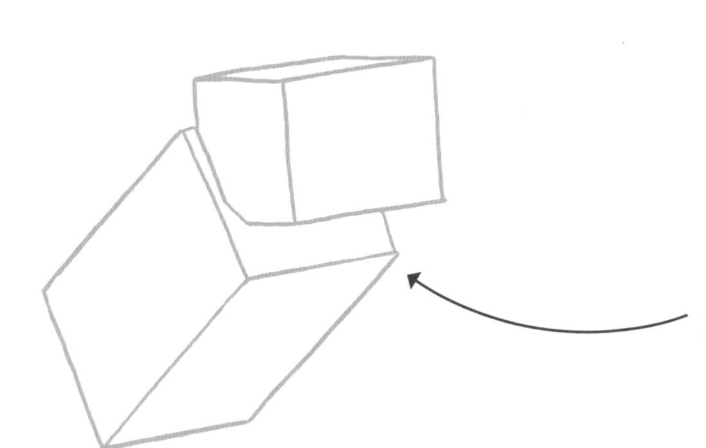

PASO 1

Para empezar, dibuja unos ortoedros, que serán cuerpo y cabeza de este mob tan mono.

PASO 2

Dibuja dos ortoedros, que serán las patas delanteras, como ves aquí. Añade un ortoedro cuadrado y fino en la cara frontal y un triangulito al otro lado para sus patas traseras.

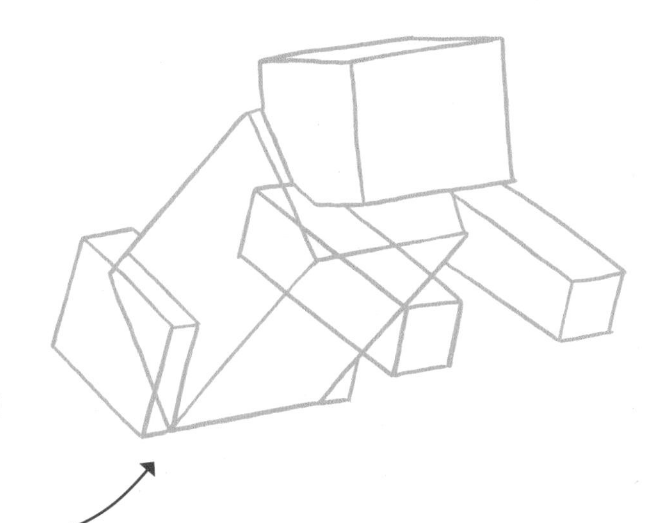

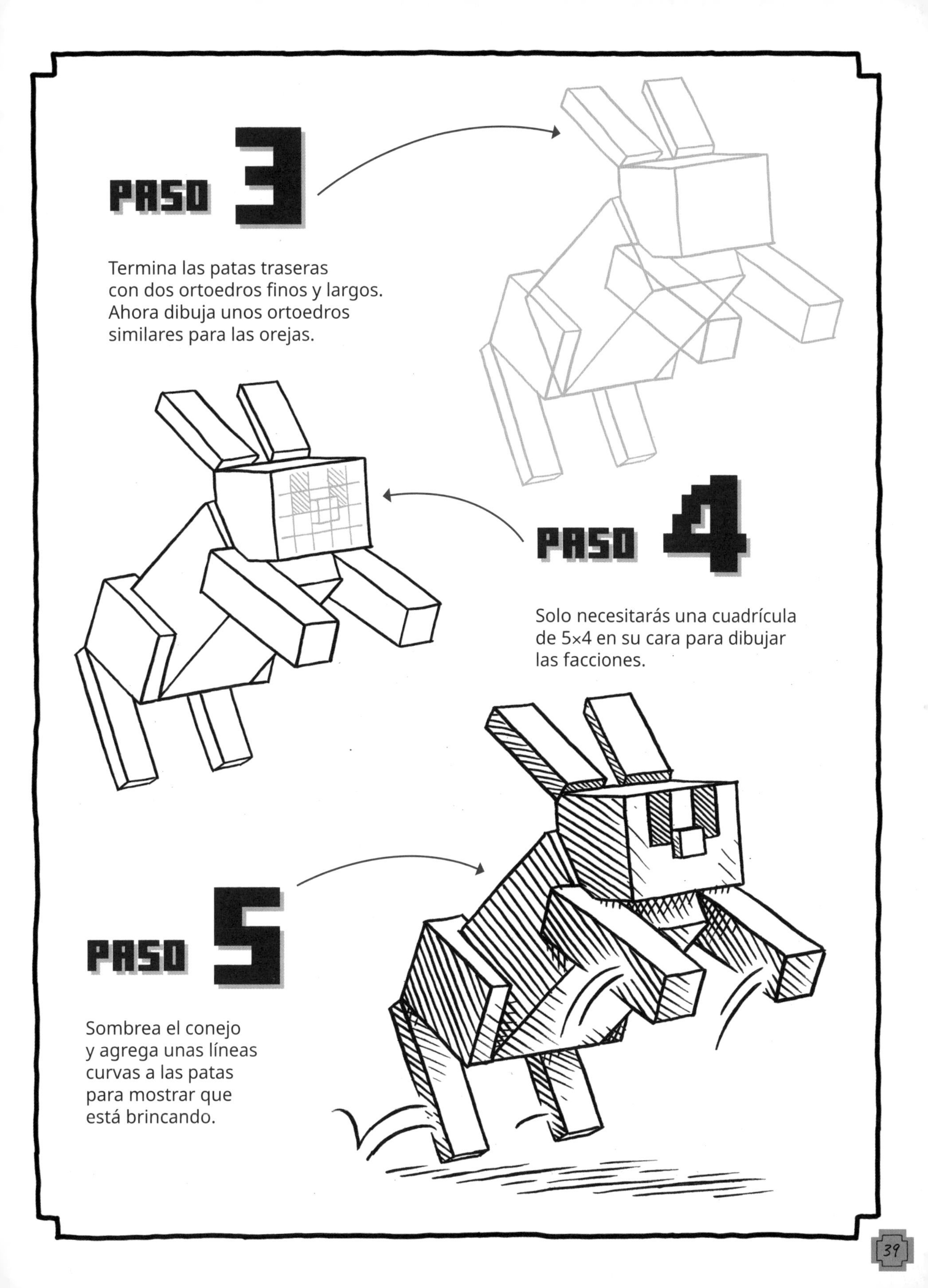

PASO 3

Termina las patas traseras con dos ortoedros finos y largos. Ahora dibuja unos ortoedros similares para las orejas.

PASO 4

Solo necesitarás una cuadrícula de 5×4 en su cara para dibujar las facciones.

PASO 5

Sombrea el conejo y agrega unas líneas curvas a las patas para mostrar que está brincando.

EL JUGADOR

¿Sabías que tu avatar puede tener hasta seis gestos? ¡Incluso puede bailar *breakdance*!

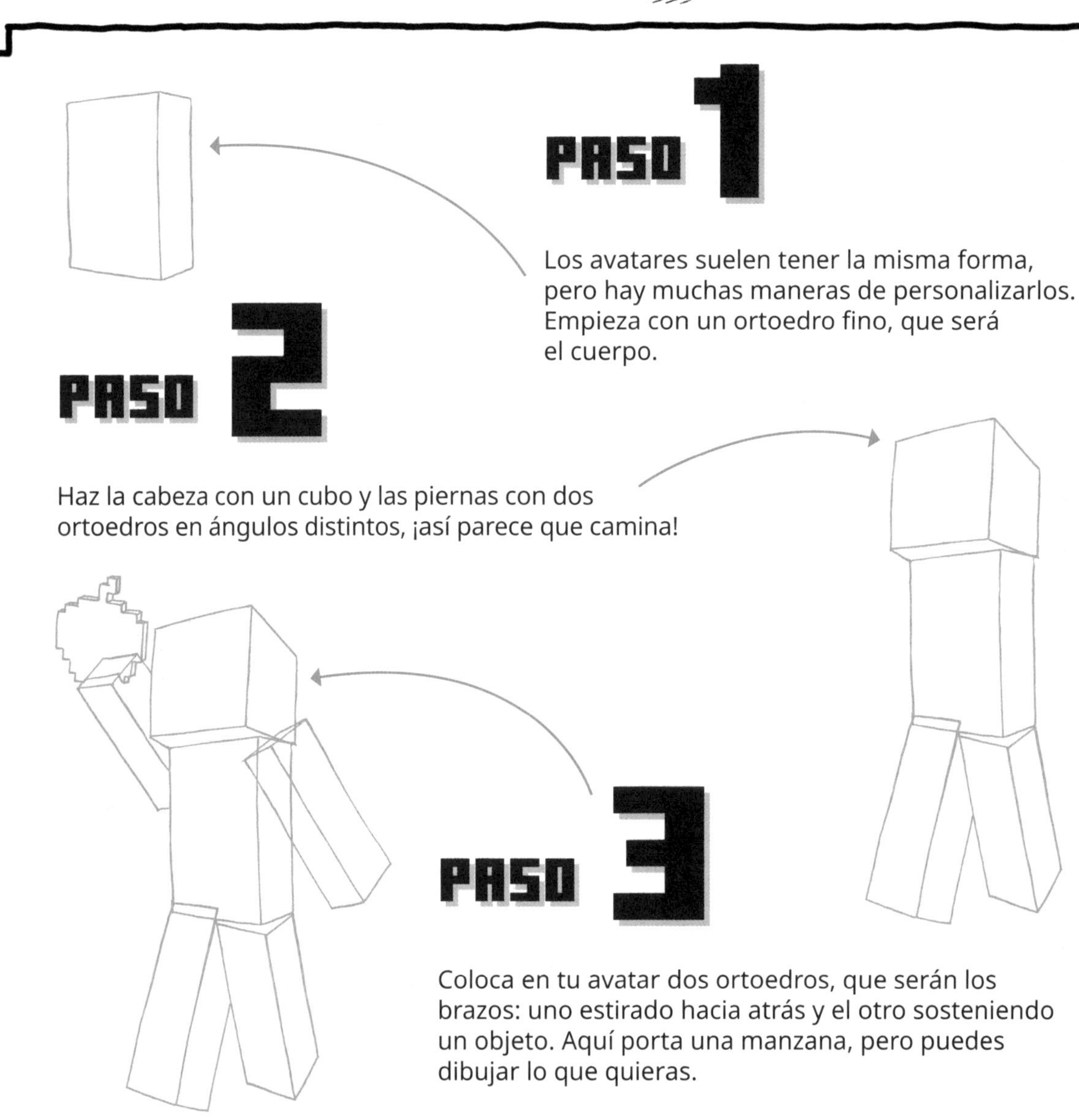

PASO 1

Los avatares suelen tener la misma forma, pero hay muchas maneras de personalizarlos. Empieza con un ortoedro fino, que será el cuerpo.

PASO 2

Haz la cabeza con un cubo y las piernas con dos ortoedros en ángulos distintos, ¡así parece que camina!

PASO 3

Coloca en tu avatar dos ortoedros, que serán los brazos: uno estirado hacia atrás y el otro sosteniendo un objeto. Aquí porta una manzana, pero puedes dibujar lo que quieras.

PASO 4

Dibuja una cuadrícula de 8×8 en la cara y añádele los rasgos. Este es Alex. ¿A quién dibujarás tú?

PASO 5

Para acabar, agrega detalles, como ropa, y sombréalo para dotarlo de profundidad.

LOS AVATARES

CONSEJO

Empieza con un boceto muy suave; luego, repásalo apretando más el lápiz, pero usa los cuadrados más cercanos para dotarlo de un estilo pixelado. Después, borra las líneas del boceto y colorea los píxeles que han quedado dentro.

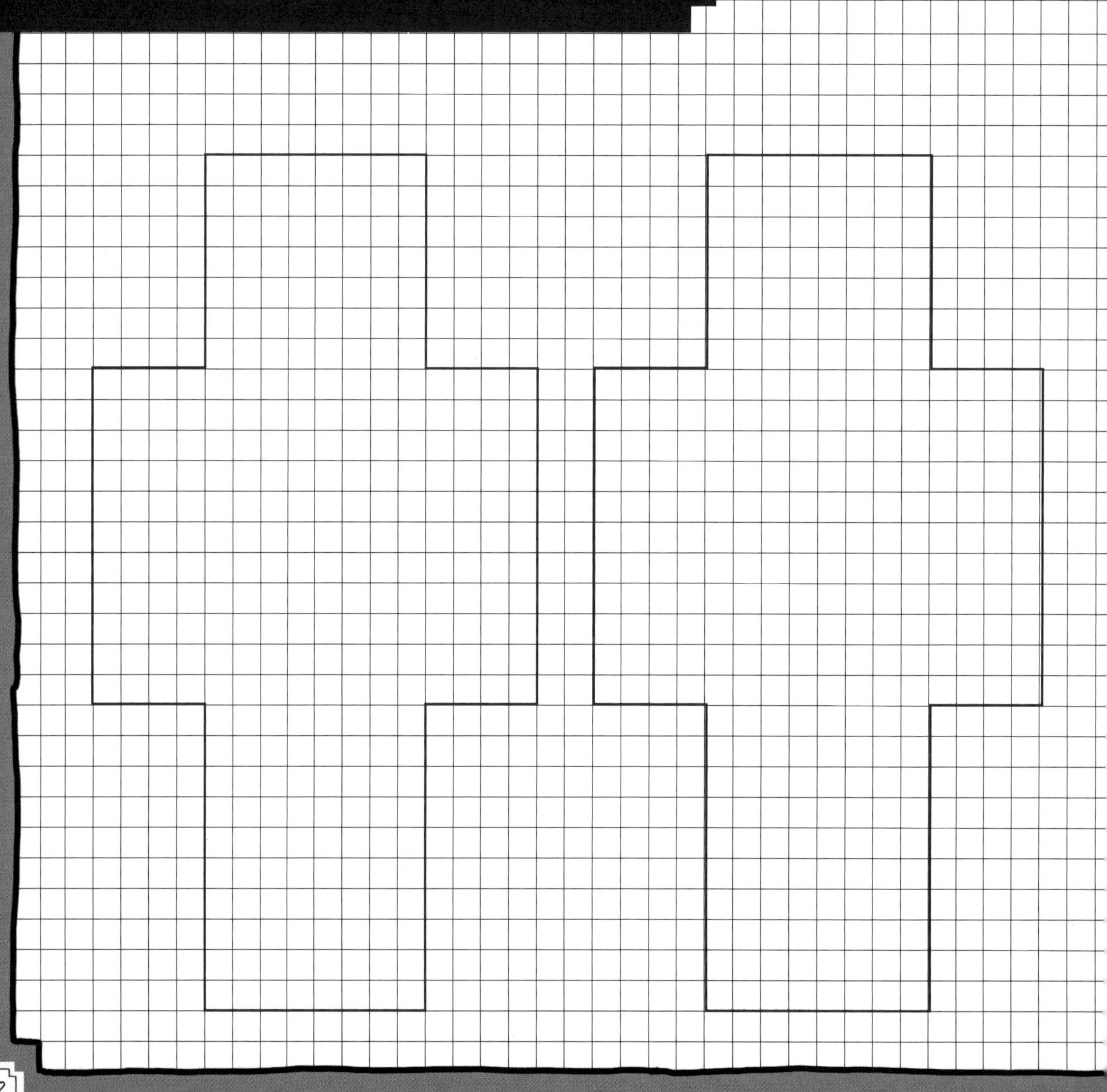

En Minecraft, los aspectos se pueden personalizar por entero, lo que te permite expresar tu identidad a través de la apariencia y la ropa del avatar. Haz que el personaje con el que juegas se parezca a ti o invéntate a alguien. ¡Las opciones son infinitas! Diseña tu avatar en esta página.

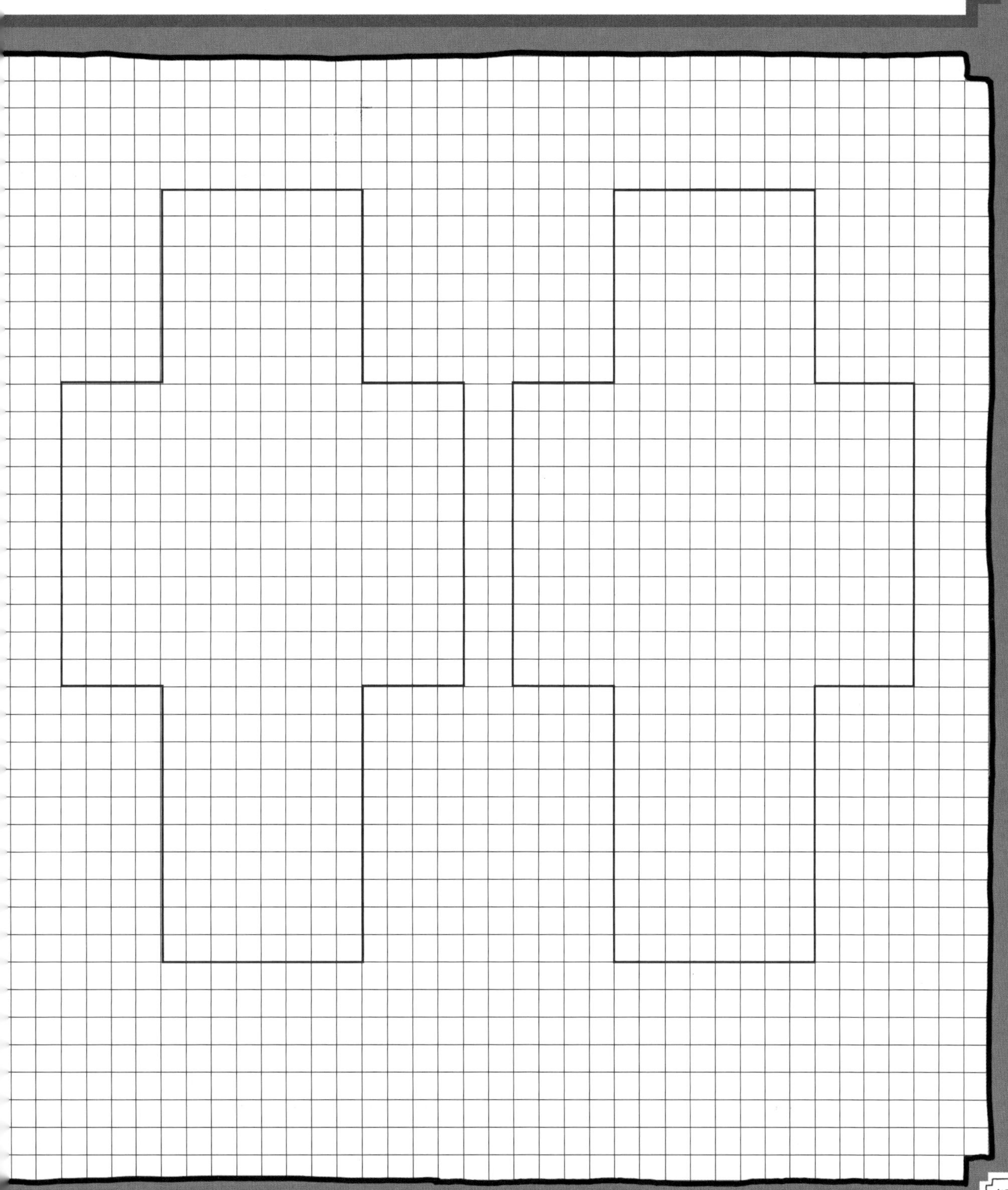

EL ALDEANO

Un dato divertido: los aldeanos son muy cotillas. Si los tratas mal, tu reputación saldrá dañada.

PASO 1

Como sabes, los aldeanos siempre tienen los brazos cruzados, así que empieza con un ortoedro fino e inclinado.

Añade sobre los brazos un cubo, que será la cabeza.

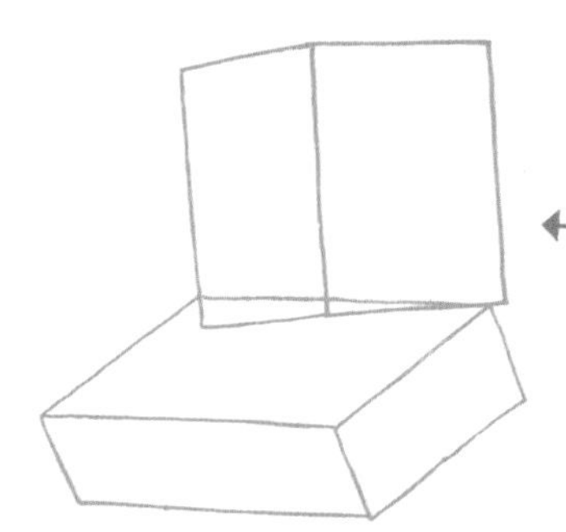

PASO 3

Bajo los brazos, dibuja un cubo largo y fino inclinado que sobresalga, que será el mandil; añade debajo un rectángulo más corto.

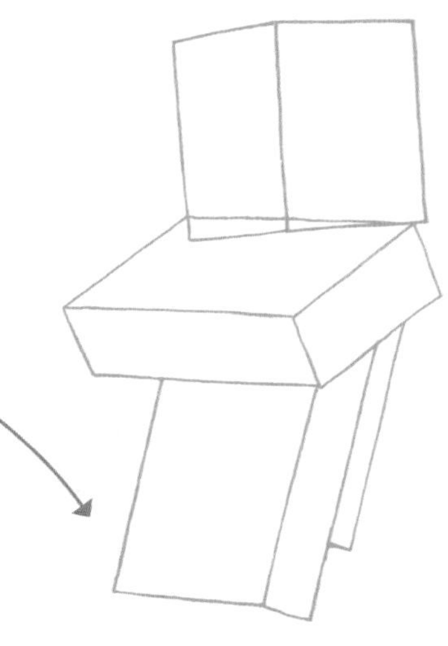

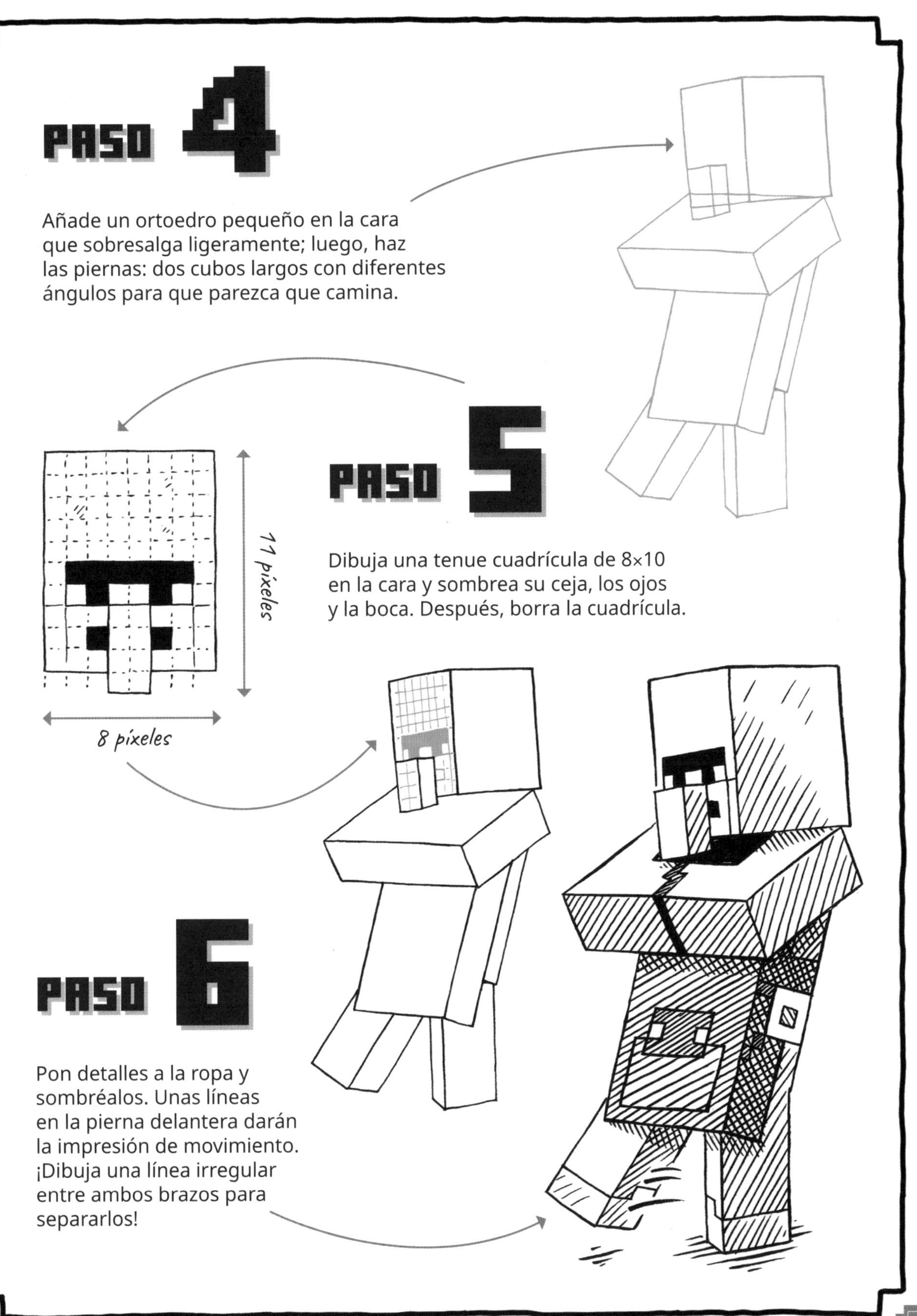

PASO 4

Añade un ortoedro pequeño en la cara que sobresalga ligeramente; luego, haz las piernas: dos cubos largos con diferentes ángulos para que parezca que camina.

PASO 5

Dibuja una tenue cuadrícula de 8×10 en la cara y sombrea su ceja, los ojos y la boca. Después, borra la cuadrícula.

PASO 6

Pon detalles a la ropa y sombréalos. Unas líneas en la pierna delantera darán la impresión de movimiento. ¡Dibuja una línea irregular entre ambos brazos para separarlos!

TIPOS DE ALDEANOS

Las aldeas de los distintos biomas cuentan con unos atuendos que permiten distinguir a sus aldeanos. ¡Echemos un vistazo!

TU RETO

Dibuja en este espacio aldeanos de biomas diferentes y con profesiones distintas.

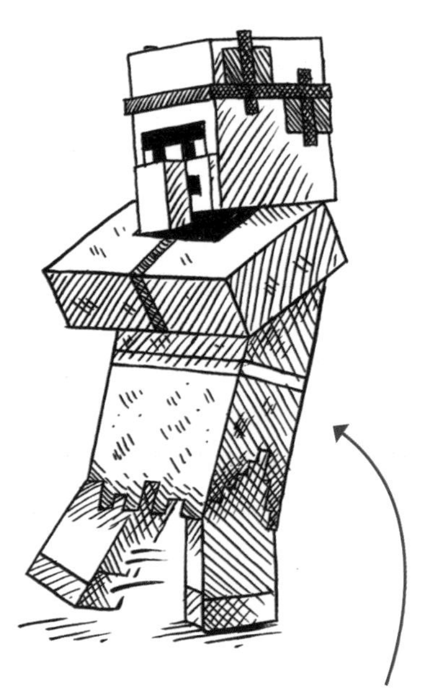

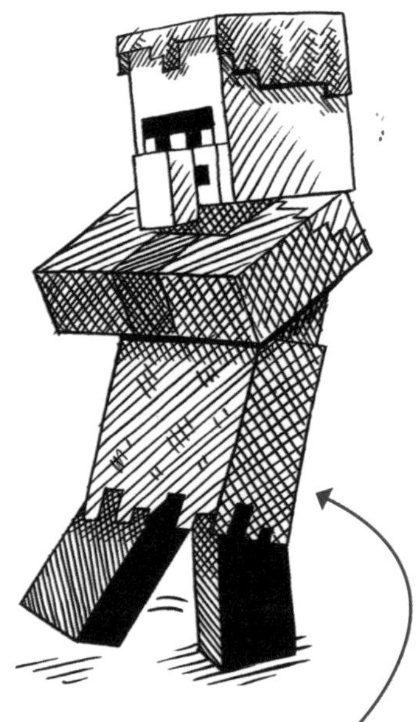

ALDEANO DE LA SABANA

Estos aldeanos llevan una cinta con hojas alrededor de la cabeza.

ALDEANO DEL PANTANO

¡Los aldeanos del pantano llevan una hoja muy grande sobre la cabeza!

ALDEANO DEL DESIERTO

Estos aldeanos visten ropa de colores brillantes y gorros con borlas.

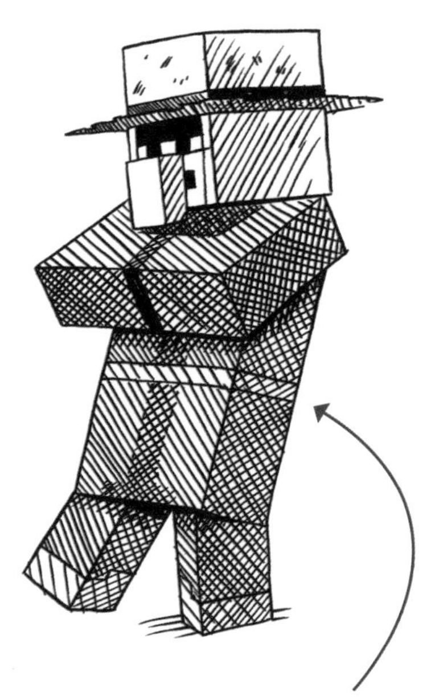

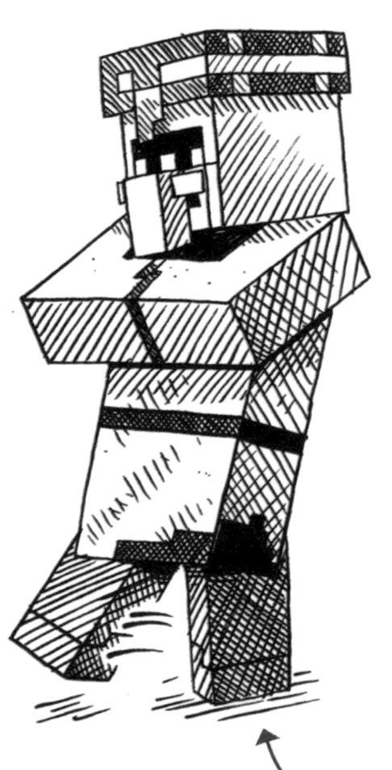

ALDEANO GRANJERO

Da igual el bioma: los granjeros siempre llevan este sombrero de paja.

ALDEANO BIBLIOTECARIO

Llevan siempre el mismo uniforme: unas gafas y un libro sobre la cabeza.

EL GÓLEM DE HIERRO

¿Te has fijado alguna vez que cuanta menos salud tiene un gólem de hierro parece aún más agrietado?

PASO 1

Vamos a empezar por las piernas. Dibuja dos ortoedros altos y finos, uno al lado del otro, y una línea debajo de ambos, que será el suelo.

PASO 2

Dibuja un ortoedro pequeño sobre las piernas; será la parte inferior del cuerpo.

PASO 3

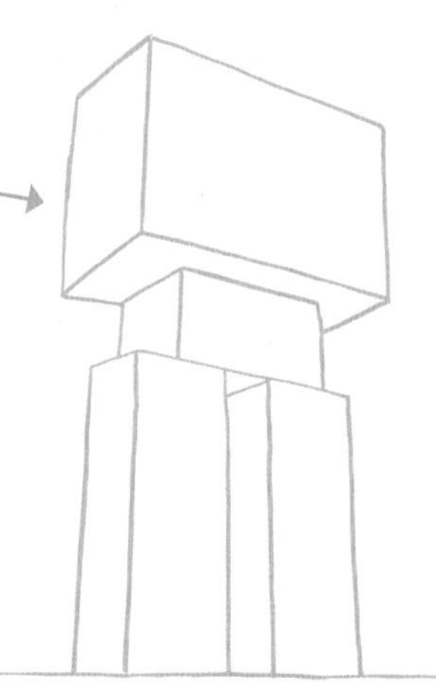

Haz un cubo encima que sea unas tres veces más grande. Eso será el pecho.

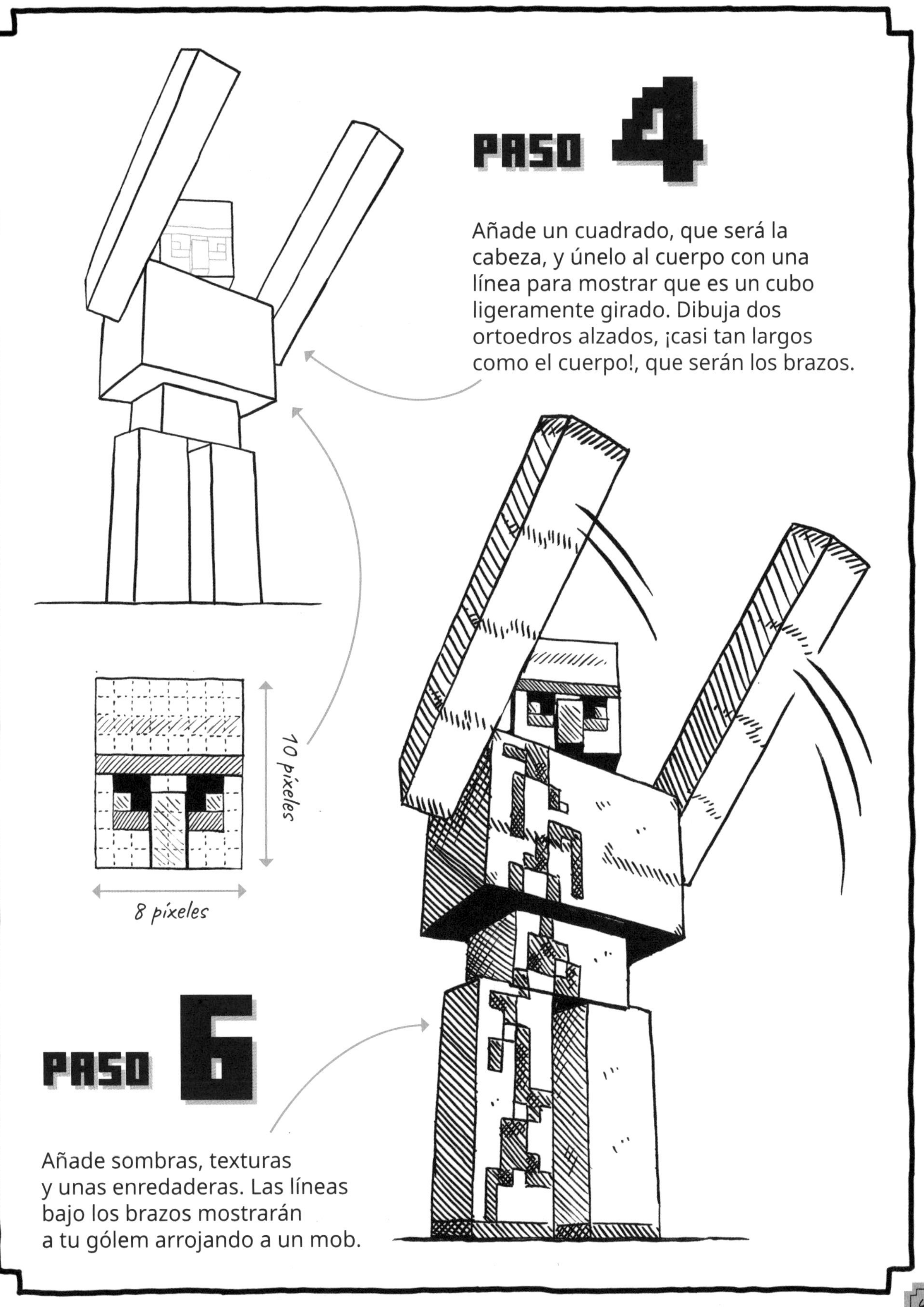

PASO 4
Añade un cuadrado, que será la cabeza, y únelo al cuerpo con una línea para mostrar que es un cubo ligeramente girado. Dibuja dos ortoedros alzados, ¡casi tan largos como el cuerpo!, que serán los brazos.
10 píxeles
8 píxeles
PASO 6
Añade sombras, texturas y unas enredaderas. Las líneas bajo los brazos mostrarán a tu gólem arrojando a un mob.

EL ZORRO Y SU CRÍA

Si logras que dos zorros procreen, su cachorro confiará en ti.

PASO 1

Primero, dibuja dos ortoedros: serán las cabezas del zorro y el cachorro, uno mirando al otro.

PASO 2

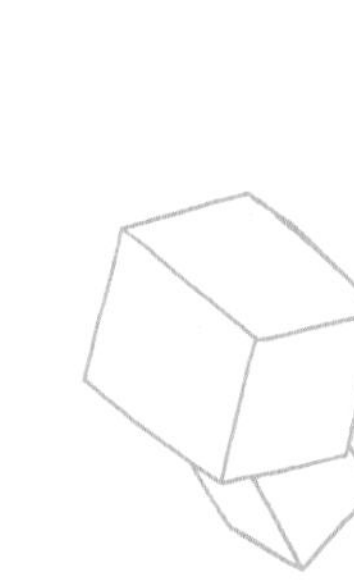

Dibuja los cuerpos con dos ortoedros; los cachorros tienen la cabeza muy grande en relación al cuerpo.

PASO 3

Dos ortoedros pequeños serán las patas delanteras. En el adulto, alarga el final del cuerpo un poco para formar la pata trasera, como ves aquí.

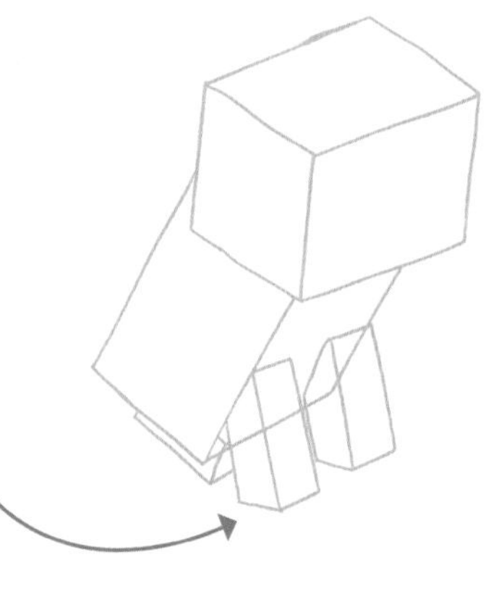

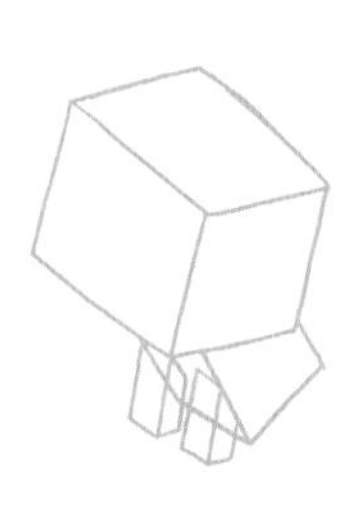

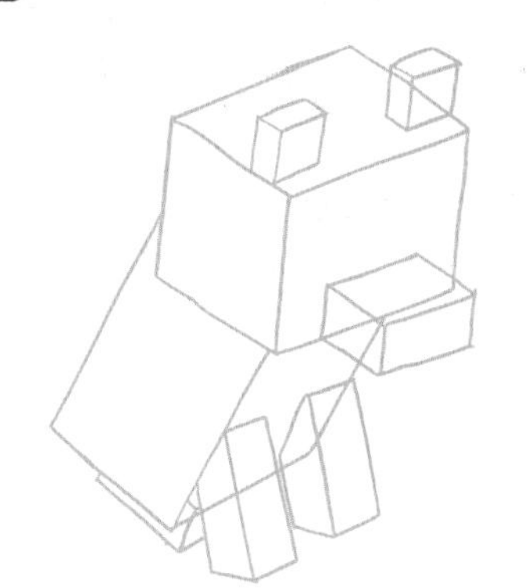

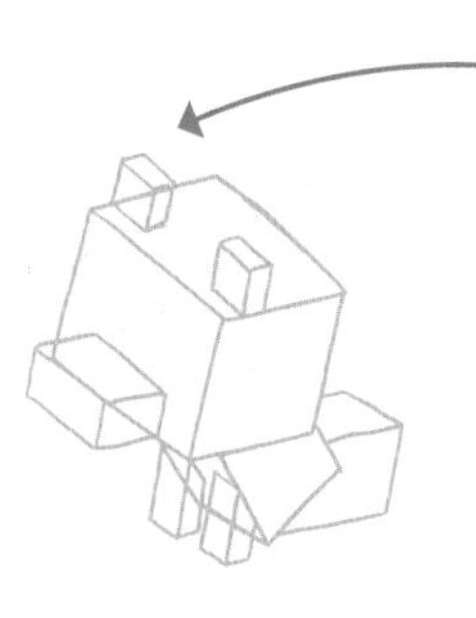

PASO 4

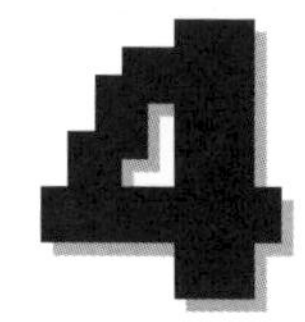

Agrégales dos ortoedros, que son las orejas, y otro más, que es el hocico.

PASO 5

No serían zorros sin unas colas hermosas. Añádeles dos ortoedros anchos en la parte de atrás.

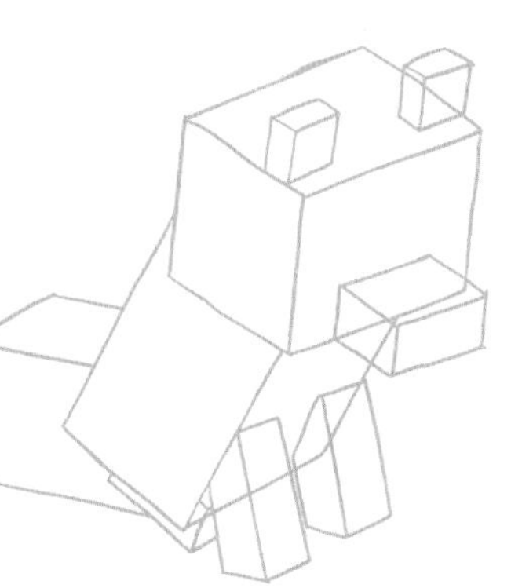

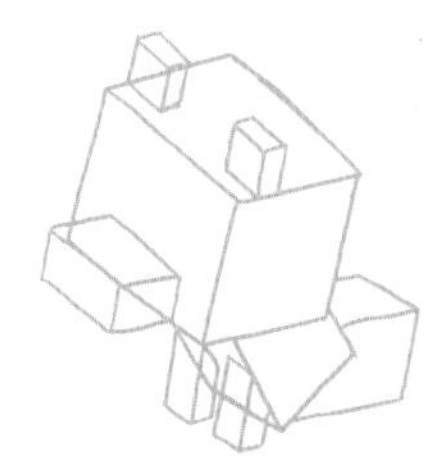

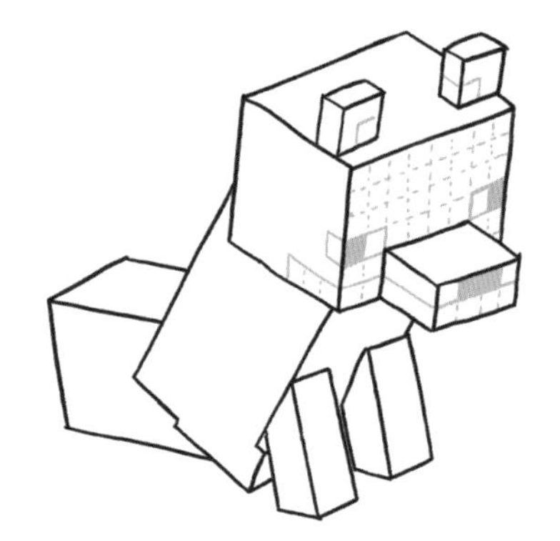

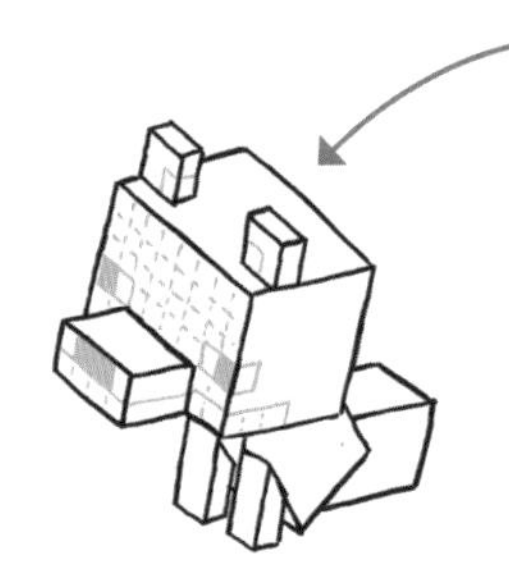

PASO 6

Dibuja una cuadrícula de 8×6 en la cara de cada uno para trazar sus facciones.

PASO 7

Por último, toca sombrear. Deja en blanco el extremo de la cola y dibuja manchas negras en pies y orejas.

EL PANDA

Hay muchos pandas blanquinegros en Minecraft, pero ¿has visto alguno marrón?

PASO 1

Retratemos al panda revolcándose en el suelo. Dibuja dos ortoedros anchos, que serán el cuerpo y la cabeza.

Cuatro ortoedros en ángulos distintos serán las patas. Las dos más cercanas deberían ser más grandes que las del otro lado del cuerpo.

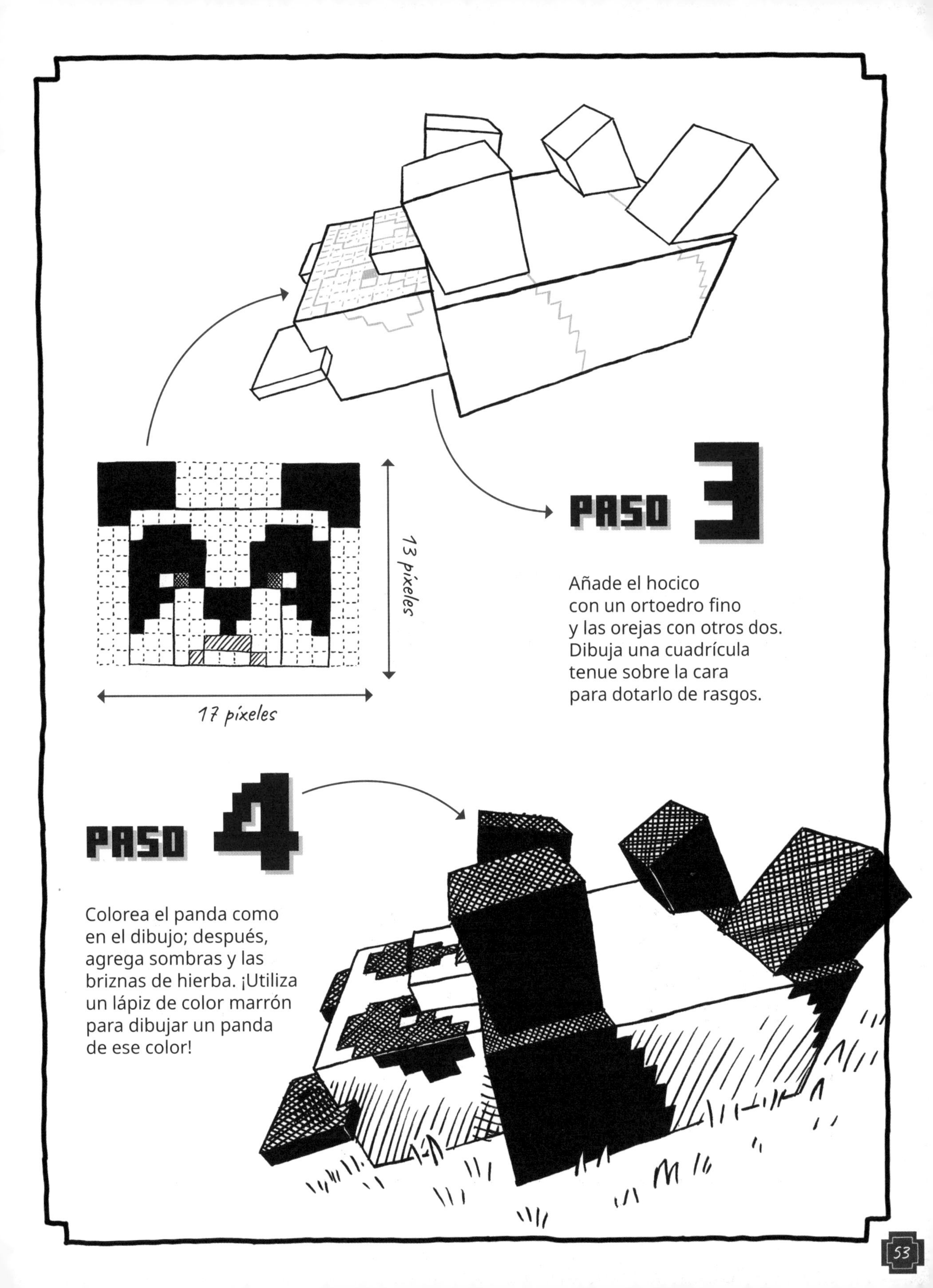

PASO 3

Añade el hocico con un ortoedro fino y las orejas con otros dos. Dibuja una cuadrícula tenue sobre la cara para dotarlo de rasgos.

PASO 4

Colorea el panda como en el dibujo; después, agrega sombras y las briznas de hierba. ¡Utiliza un lápiz de color marrón para dibujar un panda de ese color!

TIPOS DE PANDAS

TU RETO

Los pandas pueden tener una de estas seis personalidades, que se reflejan en sus expresiones faciales. Fíjate en las personalidades de abajo y aplícalas al panda que dibujes. ¿Cuál dibujarás primero?

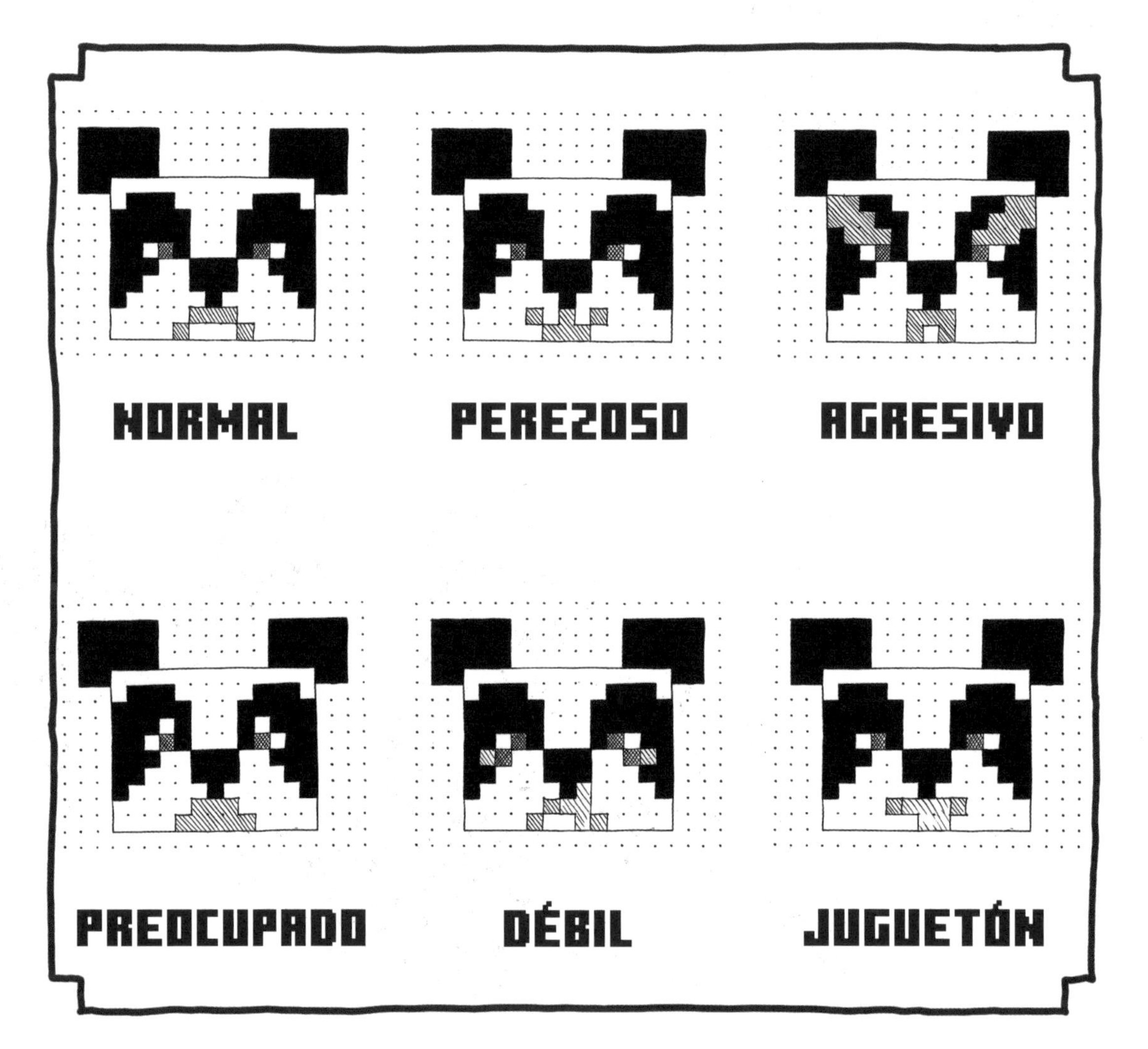

EL BEBÉ PANDA

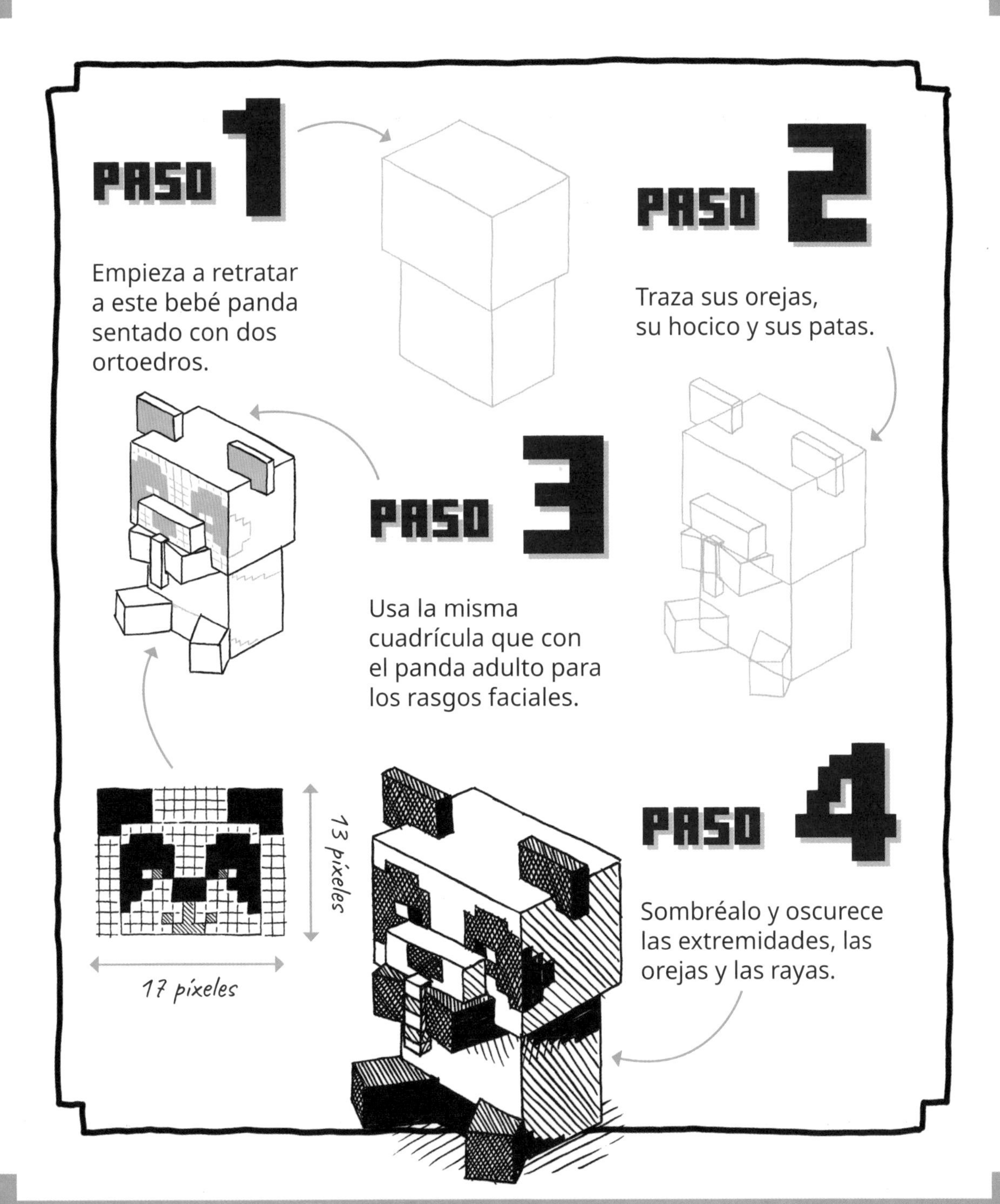

EL GATO

¿Sabías que a los creepers les dan miedo los gatos? ¡Por eso te conviene su compañía!

PASO 1

Dibuja un ortoedro largo, que será el cuerpo.

PASO 2

Añade un cubo en un ángulo distinto, unido al ortoedro, que será la cabeza.

PASO 3

Unos cubitos serán el hocico, las orejas, las patas y la cola. Las patas delanteras llegan a una zona más alta del cuerpo que las traseras.

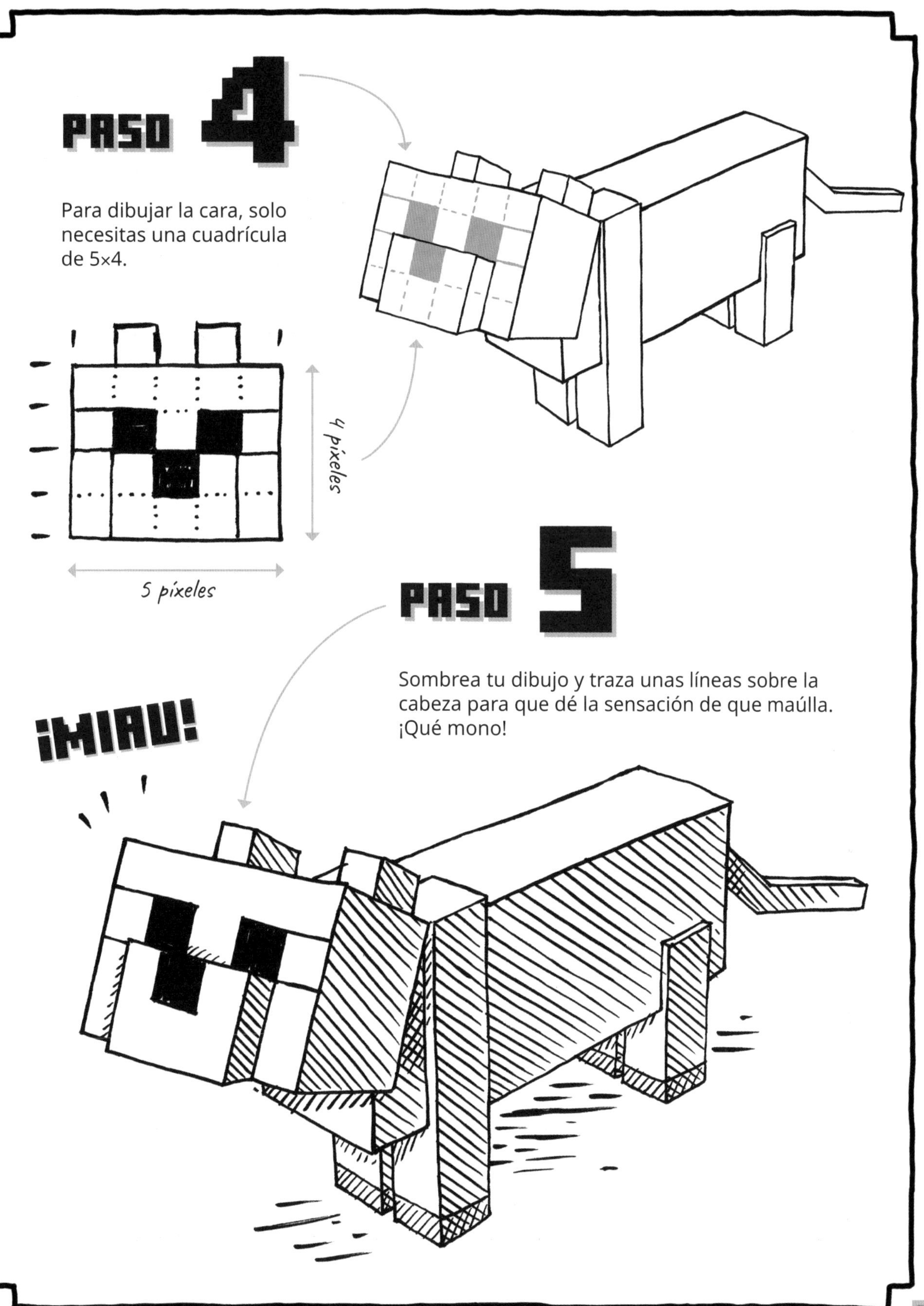
PASO 4
Para dibujar la cara, solo necesitas una cuadrícula de 5×4.
4 píxeles
5 píxeles
PASO 5
Sombrea tu dibujo y traza unas líneas sobre la cabeza para que dé la sensación de que maúlla. ¡Qué mono!
¡MIAU!

EL AYUDANTE

Este mob tan adorable es un compañero muy útil: ¡dale un objeto y te traerá más como ese!

PASO 1

Comienza con un cubo grande, que será la cabeza.

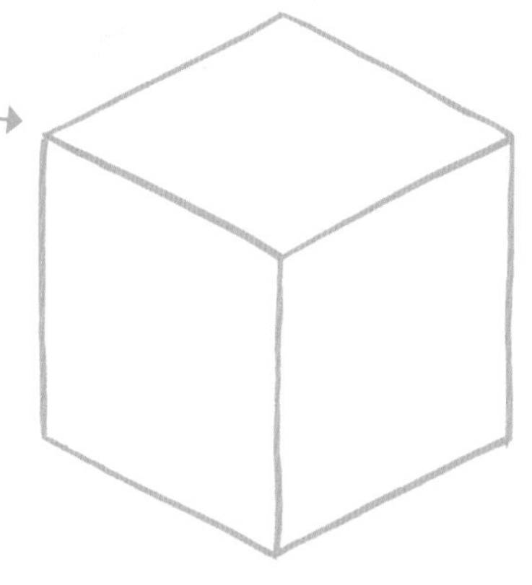

PASO 2

Para los brazos, añade dos ortoedros bajo el cuerpo y en direcciones distintas.

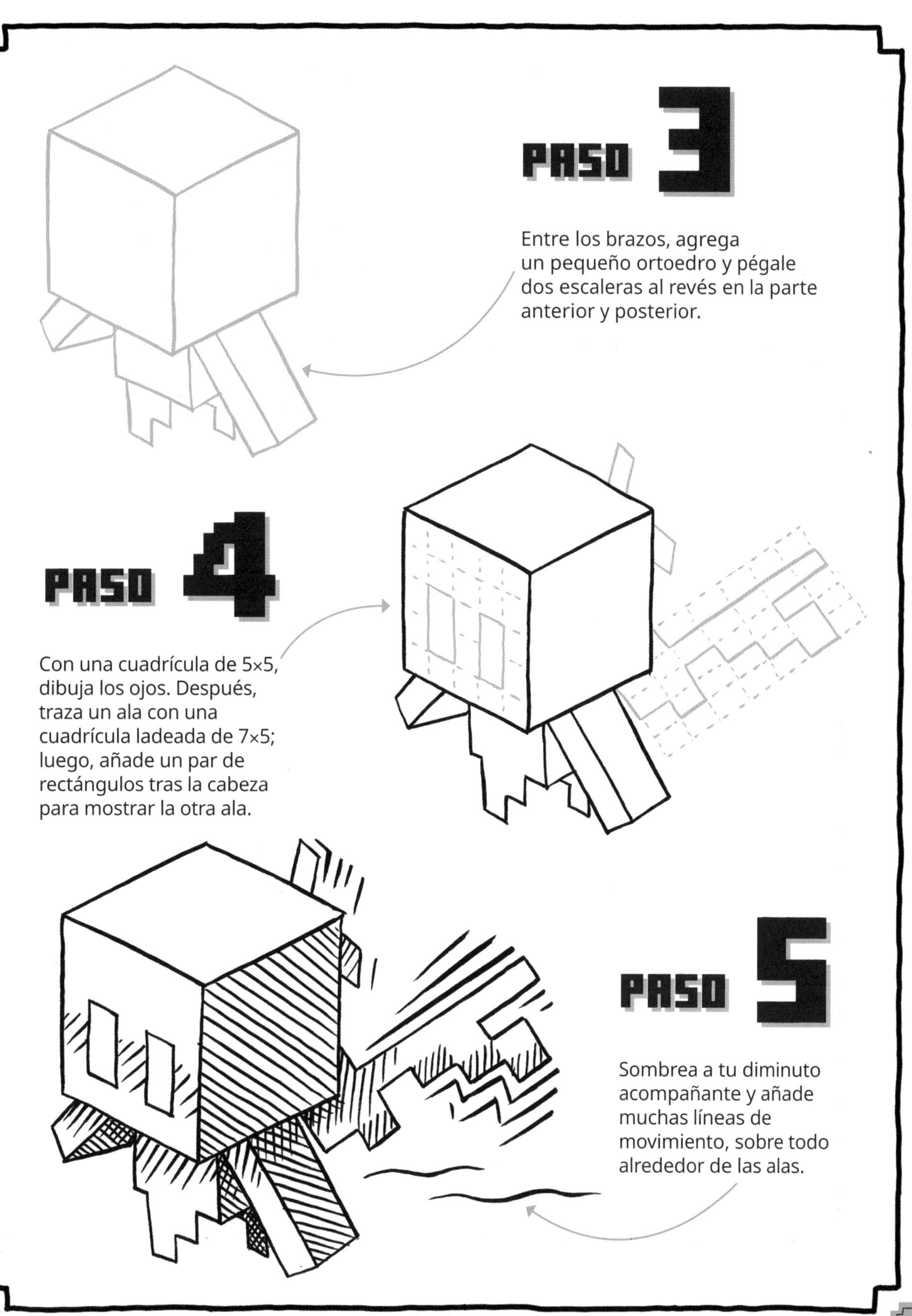

PASO 3

Entre los brazos, agrega un pequeño ortoedro y pégale dos escaleras al revés en la parte anterior y posterior.

PASO 4

Con una cuadrícula de 5×5, dibuja los ojos. Después, traza un ala con una cuadrícula ladeada de 7×5; luego, añade un par de rectángulos tras la cabeza para mostrar la otra ala.

PASO 5

Sombrea a tu diminuto acompañante y añade muchas líneas de movimiento, sobre todo alrededor de las alas.

EL LAVAGANTE

Si pasa mucho tiempo fuera de la lava, se mueve más lento, se vuelve púrpura y tiembla.

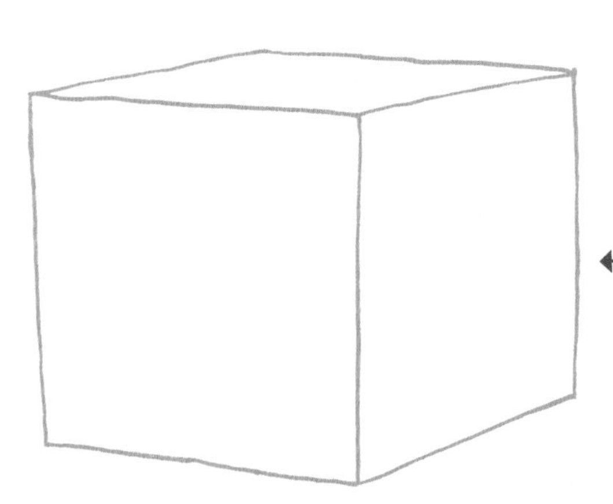

PASO 1

Para empezar, dibuja un bloque grande y cuadrado.

PASO 2

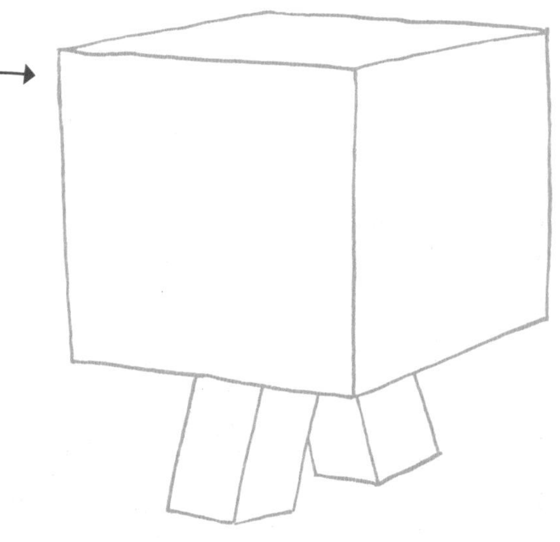

Añade dos pequeños bloques rectangulares, que serán las patas, como ves aquí. Haz una más corta que la otra para respetar la perspectiva.

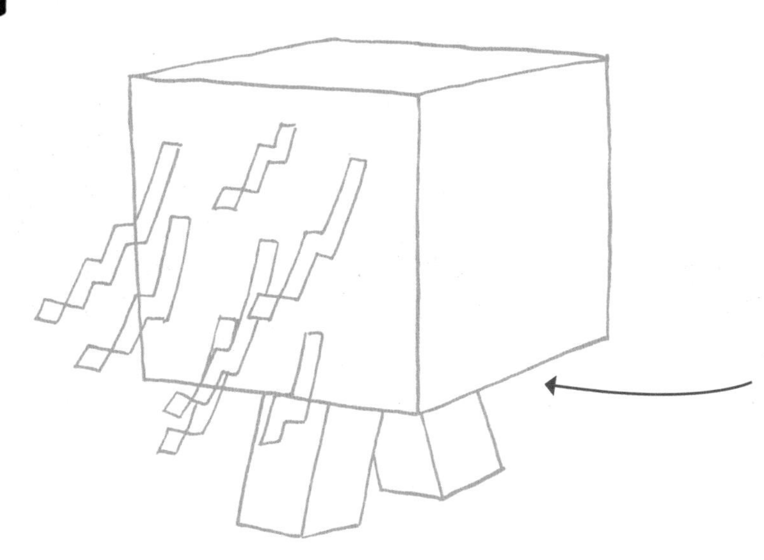

PASO 3

Unas líneas en zigzag en la cara del cubo que dé hacia ti harán las veces de pelos.

PASO 4

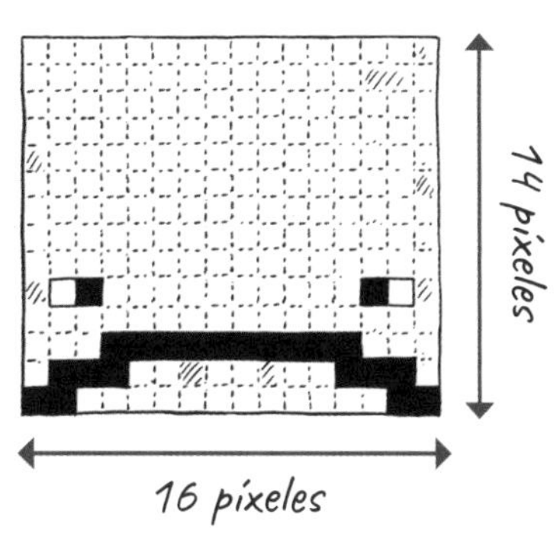

Refleja la tristeza del lavagante con una cuadrícula, como ves aquí.

PASO 5

Sombréalo y dibuja círculos alrededor de las patas, así como otras líneas, para mostrar que el lavagante camina sobre lava.

EL CABALLO

¿Sabías que si cruzas un caballo con un burro puedes crear una mula? ¡Increíble!

PASO 1

Dibuja un ortoedro inclinado hacia arriba: ¡nuestro caballo estará alzado sobre los cuartos traseros!

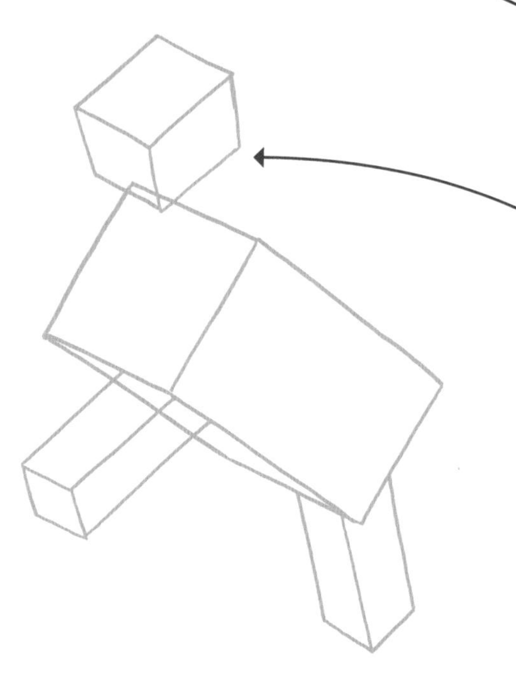

PASO 2

Dos ortoedros en ángulos opuestos serán las patas. Agrega un ortoedro, que será la mitad superior de la cabeza.

PASO 3

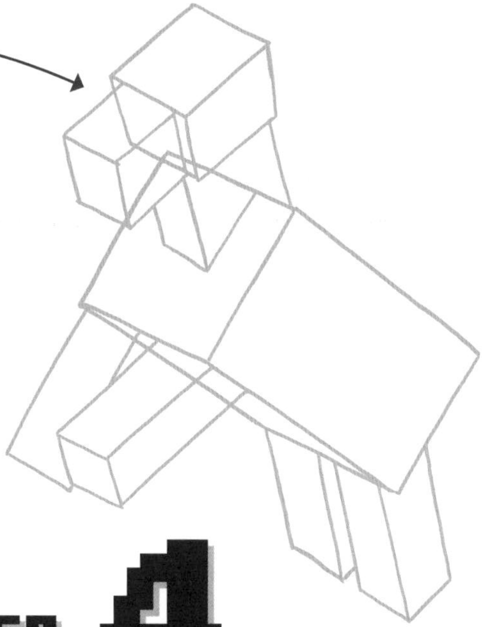

Une la cabeza al cuerpo con un cuello largo. Añade un cubo como hocico y otros dos para las patas.

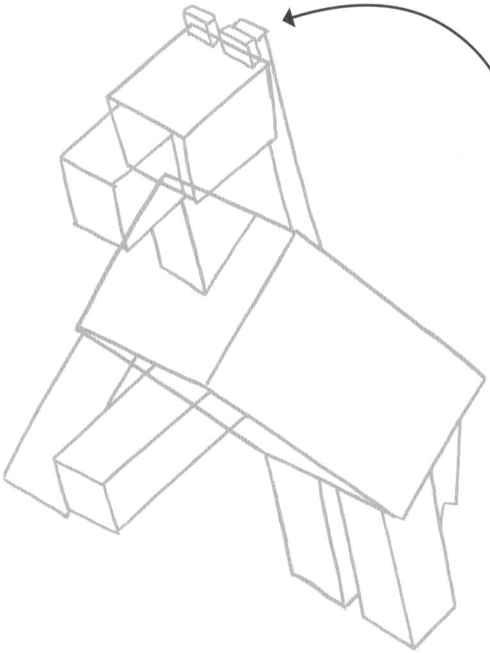

PASO 4

Dibújale la crin con un rectángulo sobre el cuello; añádele cola y orejitas.

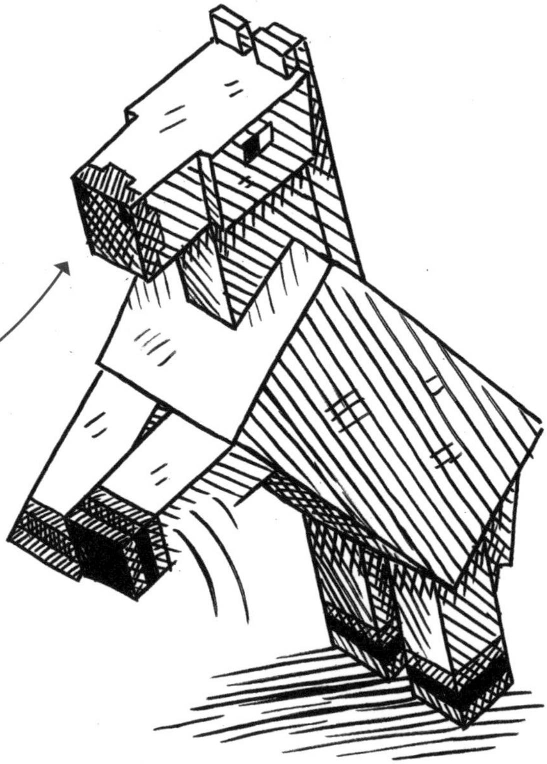

PASO 5

Sombréalo y añade unas líneas, que serán los cascos, y un ojo. Oscurece el hocico. Traza unas líneas de movimiento en la pata delantera y parecerá que se alza. ¡Yiijaaa!

CREA TU PROPIO MOB

CONSEJO

Si eres incapaz de inventarte un mob de cero, ¿por qué no pruebas a mezclar mobs distintos o a reordenar distintas partes del cuerpo de un mob hasta que hayas inventado algo realmente nuevo y llamativo?

No te limites a dibujar mobs que ya existen. ¿Por qué no intentas diseñar con bloques un animal que todavía no está en el juego? O mejor, ¿por qué no te inventas uno totalmente? El creeper fue, en un principio, un intento fallido de crear un cerdo, pero se acabó convirtiendo en el mob que todos adoramos (y tememos) hoy en día.

CABALGANDO

Algunos mobs pueden montarse sobre otros, y no nos referimos solo a que los jugadores pueden cabalgar. Veamos cómo dibujar un jinete y su montura con el ejemplo de un bebé zombi y una gallina.

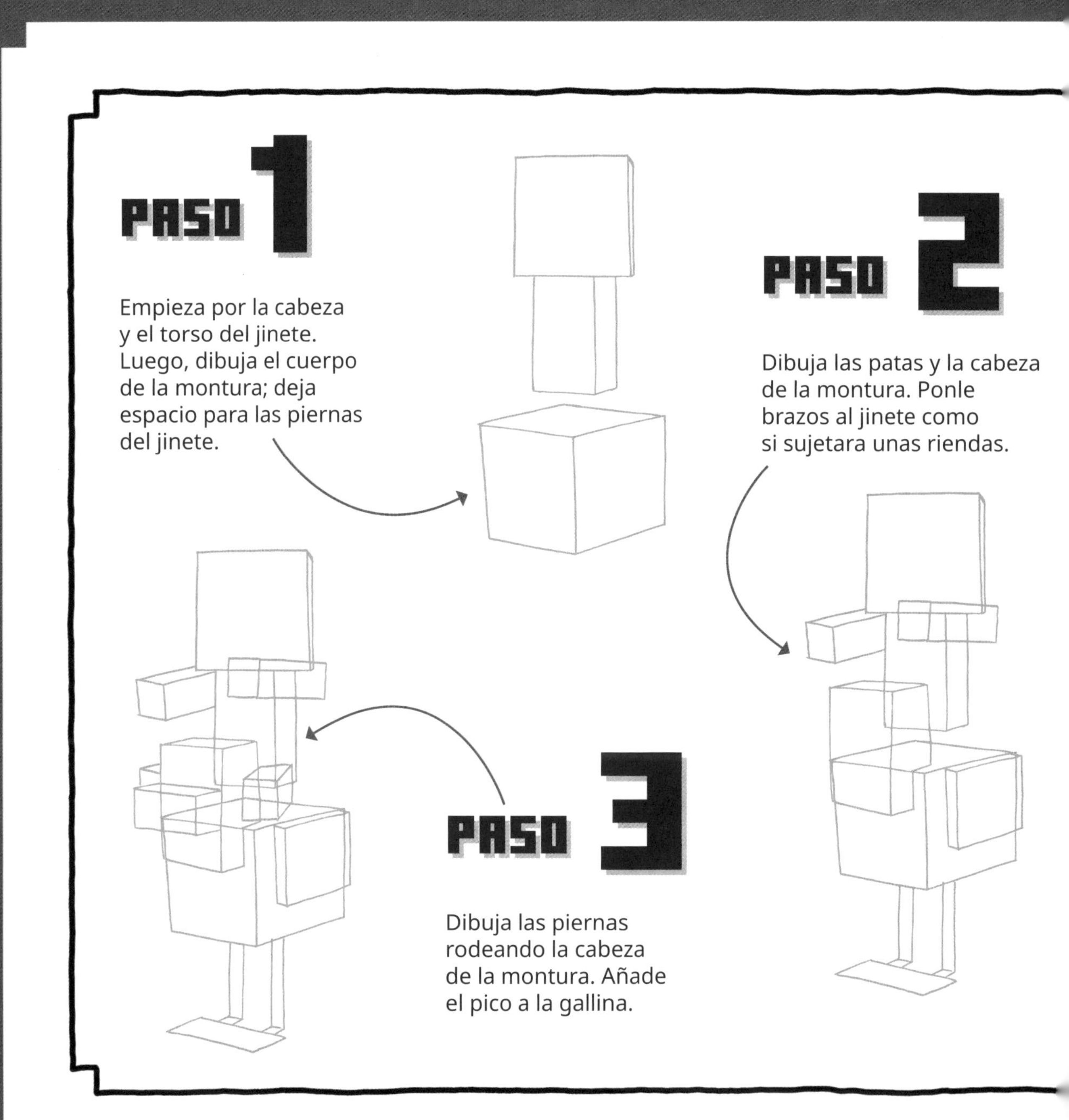

PASO 1

Empieza por la cabeza y el torso del jinete. Luego, dibuja el cuerpo de la montura; deja espacio para las piernas del jinete.

PASO 2

Dibuja las patas y la cabeza de la montura. Ponle brazos al jinete como si sujetara unas riendas.

PASO 3

Dibuja las piernas rodeando la cabeza de la montura. Añade el pico a la gallina.

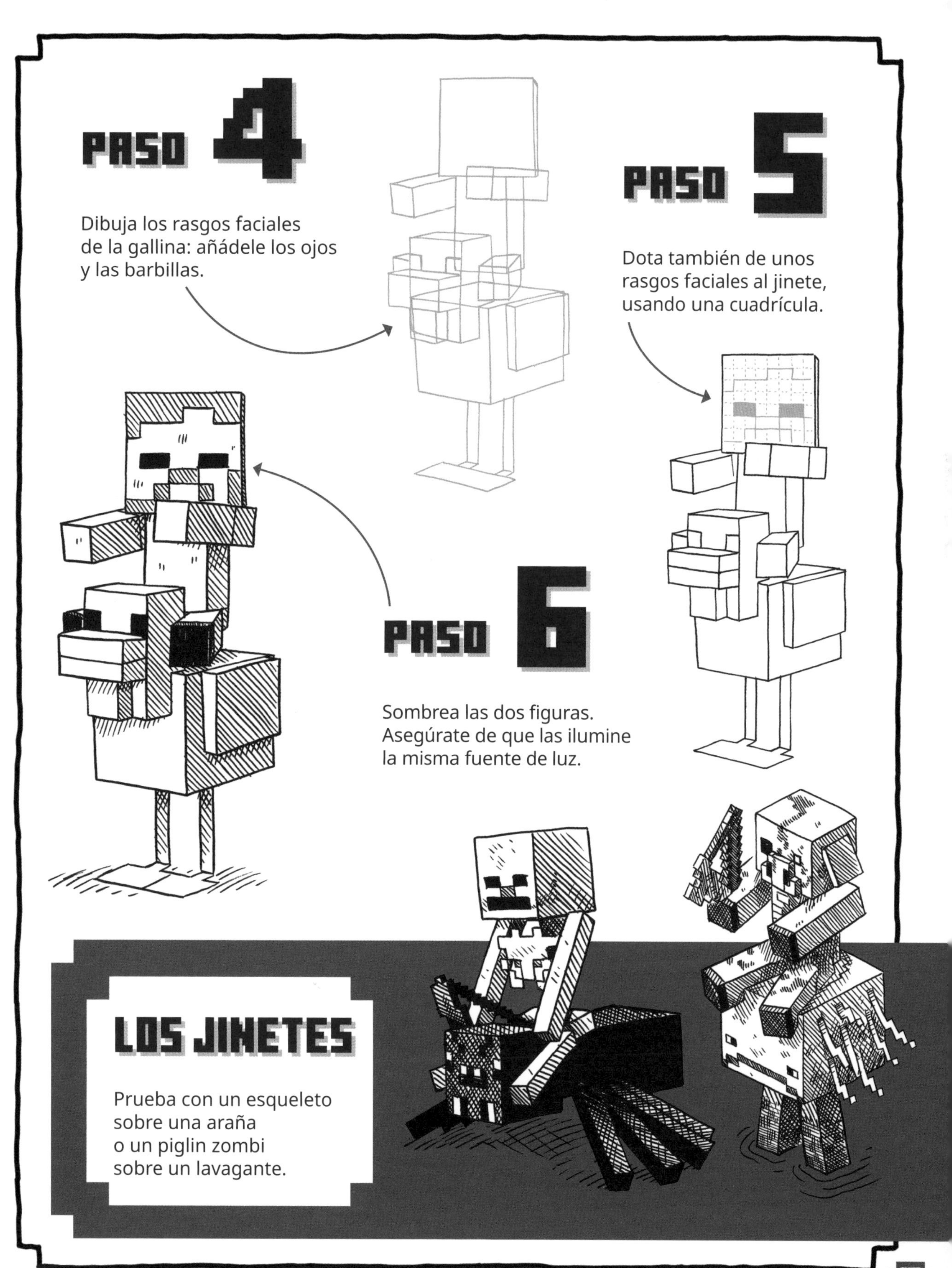

PASO 4

Dibuja los rasgos faciales de la gallina: añádele los ojos y las barbillas.

PASO 5

Dota también de unos rasgos faciales al jinete, usando una cuadrícula.

PASO 6

Sombrea las dos figuras. Asegúrate de que las ilumine la misma fuente de luz.

LOS JINETES

Prueba con un esqueleto sobre una araña o un piglin zombi sobre un lavagante.

DIBUJANDO ARMADURAS

Si quieres perdurar en el modo Supervivencia, vas a necesitar una buena armadura. ¡Veamos cómo se dibuja!

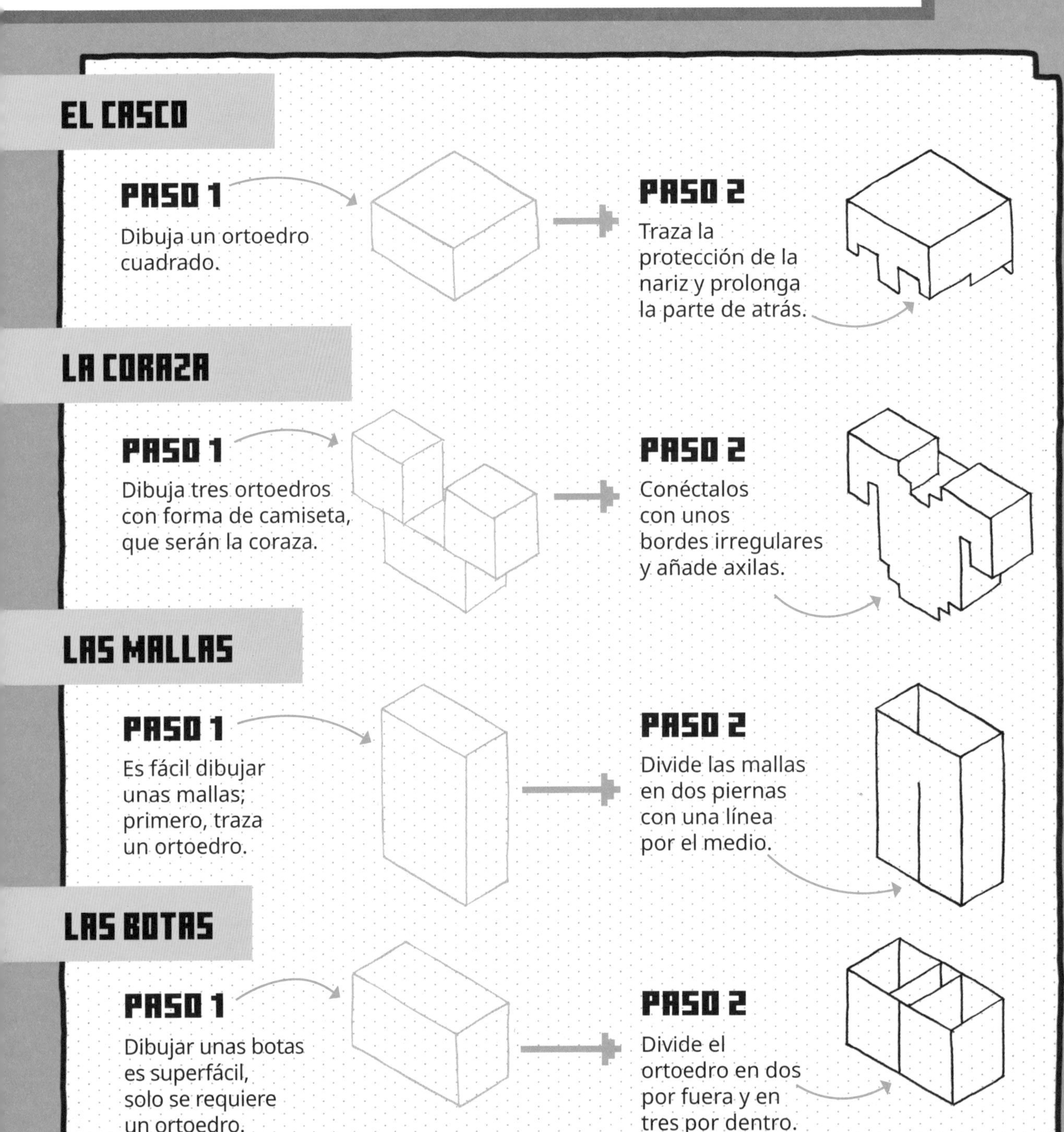

EL CASCO

PASO 1

Dibuja un ortoedro cuadrado.

PASO 2

Traza la protección de la nariz y prolonga la parte de atrás.

LA CORAZA

PASO 1

Dibuja tres ortoedros con forma de camiseta, que serán la coraza.

PASO 2

Conéctalos con unos bordes irregulares y añade axilas.

LAS MALLAS

PASO 1

Es fácil dibujar unas mallas; primero, traza un ortoedro.

PASO 2

Divide las mallas en dos piernas con una línea por el medio.

LAS BOTAS

PASO 1

Dibujar unas botas es superfácil, solo se requiere un ortoedro.

PASO 2

Divide el ortoedro en dos por fuera y en tres por dentro.

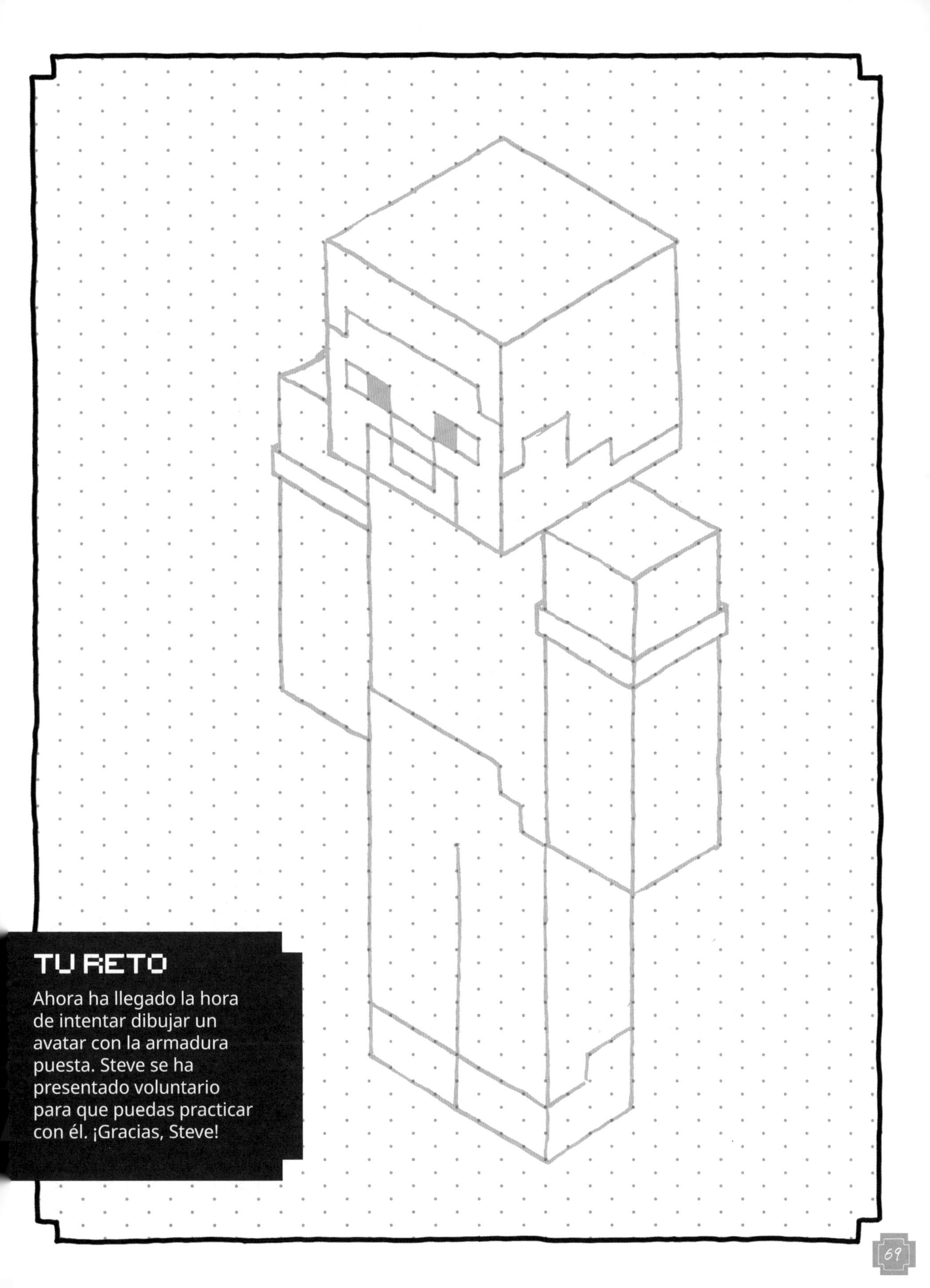

TU RETO

Ahora ha llegado la hora de intentar dibujar un avatar con la armadura puesta. Steve se ha presentado voluntario para que puedas practicar con él. ¡Gracias, Steve!

EL ARSENAL

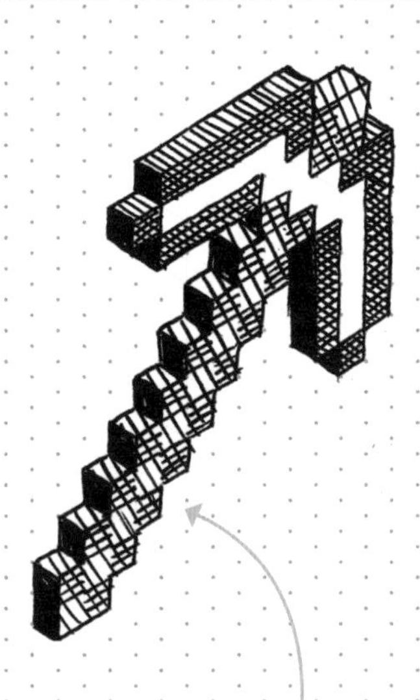

EL PICO

¡Una de las herramientas más populares del Minecraft!

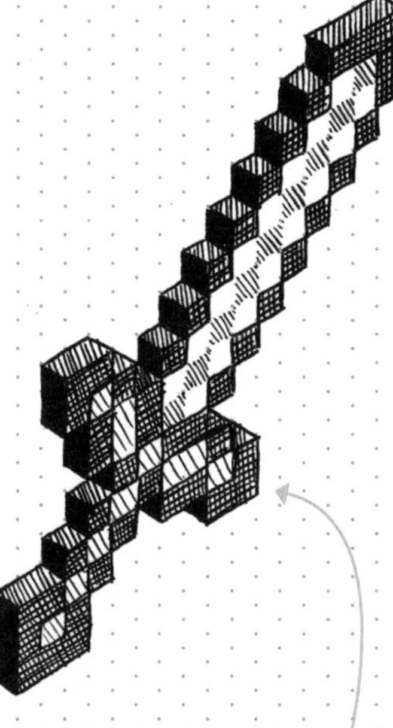

LA ESPADA

La espada es muy útil en combate.

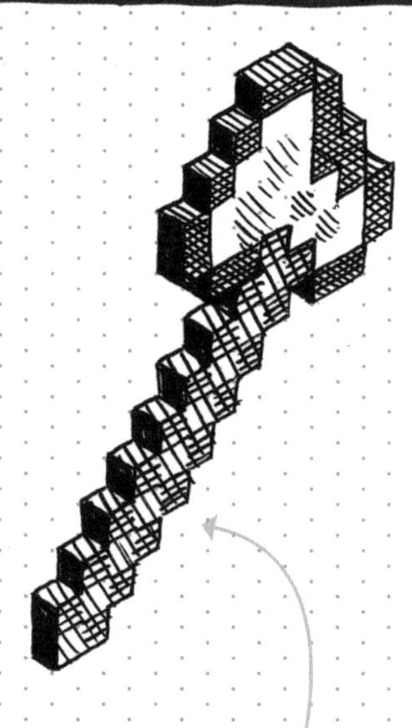

EL HACHA

Como herramienta y como arma resulta muy útil.

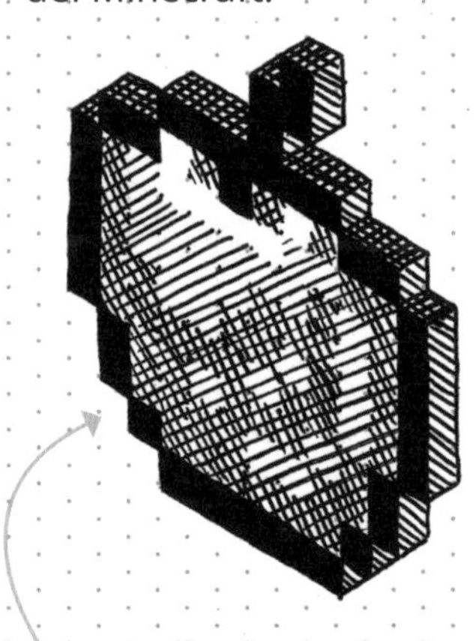

LA MANZANA

Hay muchos alimentos que recolectar en Minecraft.

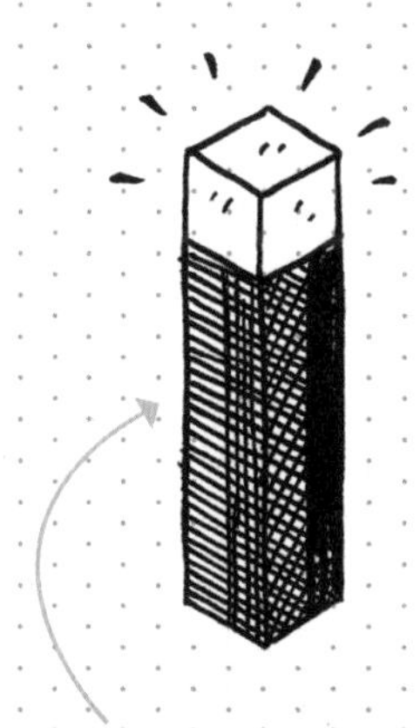

LA ANTORCHA

¡No querrás explorar una cueva sin unas cuantas!

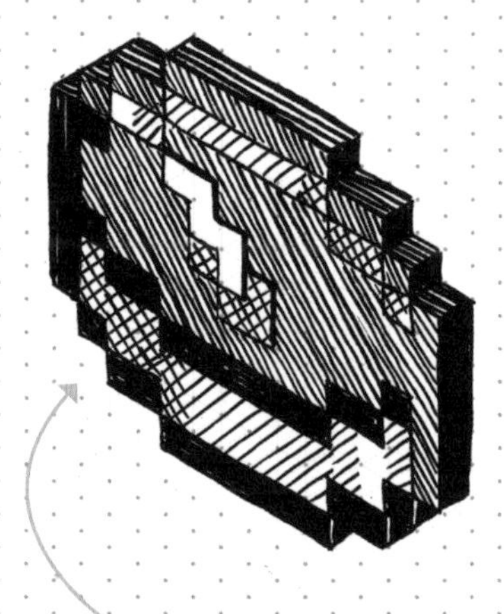

LA BRÚJULA

Siempre ayuda tener una brújula a mano para orientarte.

Hay cientos de objetos en Minecraft que puedes guardar en tu inventario; el personaje con el que juegas podrá llevar muchos de ellos. Echemos un vistazo a algunas de las armas y objetos que podrías tener en tu arsenal y veamos cómo puedes dibujar a tu personaje sosteniéndolos.

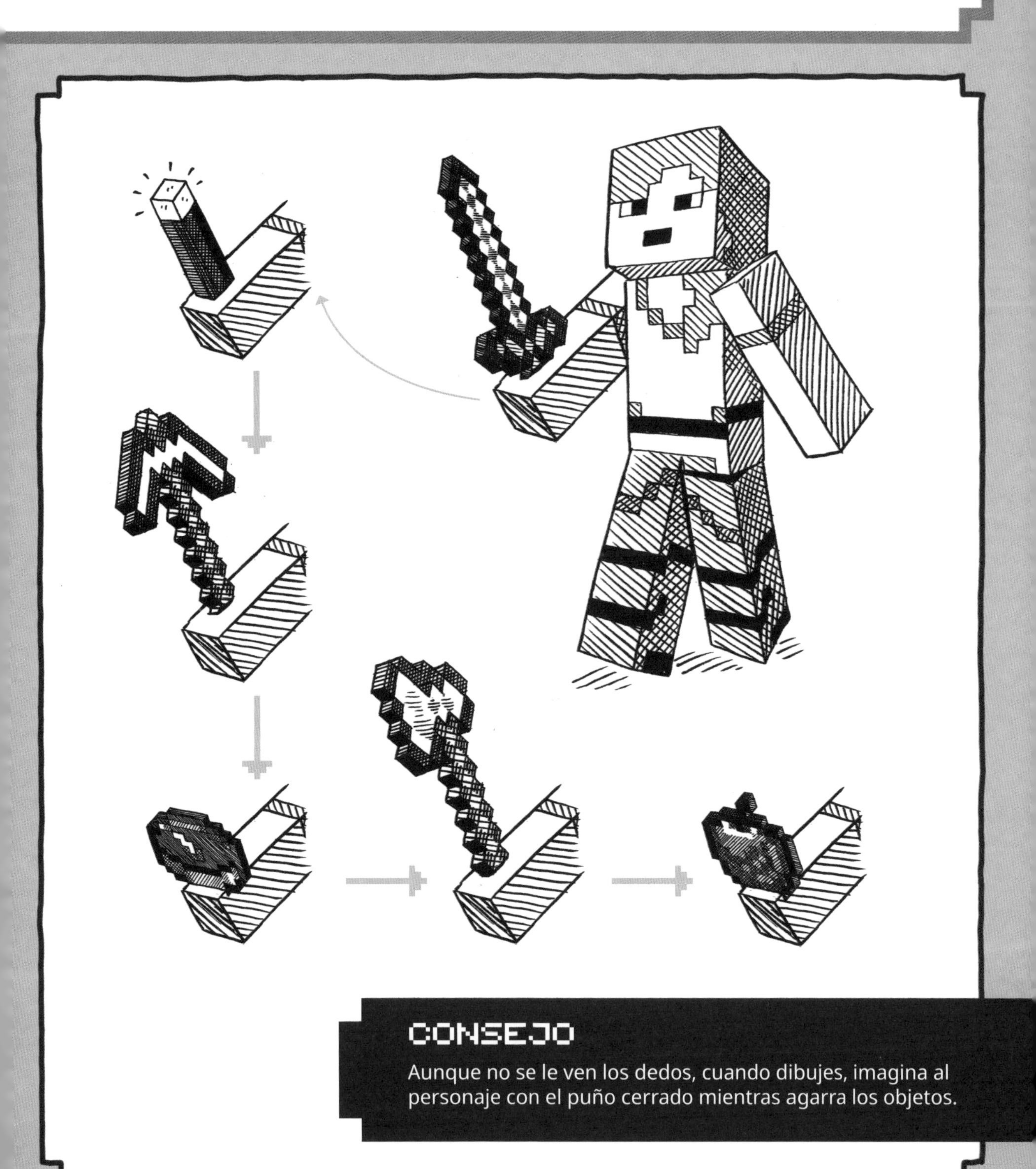

CONSEJO

Aunque no se le ven los dedos, cuando dibujes, imagina al personaje con el puño cerrado mientras agarra los objetos.

EL ARSENAL

CONSEJO

Las armas y los objetos se dibujan igual que sus iconos, pero con un cierto toque 3D. Dibuja los píxeles como los harías con un icono; después, imagínate que cada píxel es un cubito y dibuja alrededor de los bordes.

Para practicar, dibuja al personaje con el que juegas portando varias armas y objetos. Pero recuerda que tu personaje puede llevar dos cosas a la vez. ¿Por qué no intentas dibujarlo sosteniendo un escudo mientras blande una espada? ¿O sosteniendo una antorcha y una brújula?

LA ARAÑA

¿Sabes que existe la remota posibilidad de que una araña sea la montura de un esqueleto?

PASO 1

Traza un cubo voluminoso; será la cabeza de la araña.

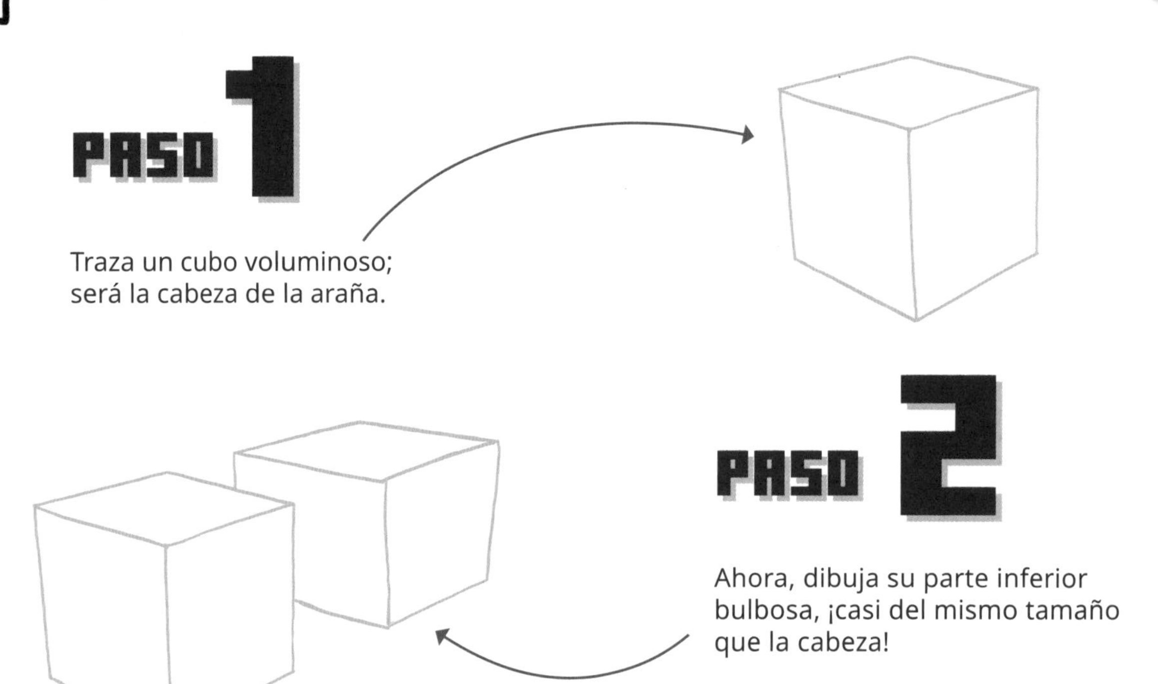

PASO 2

Ahora, dibuja su parte inferior bulbosa, ¡casi del mismo tamaño que la cabeza!

PASO 3

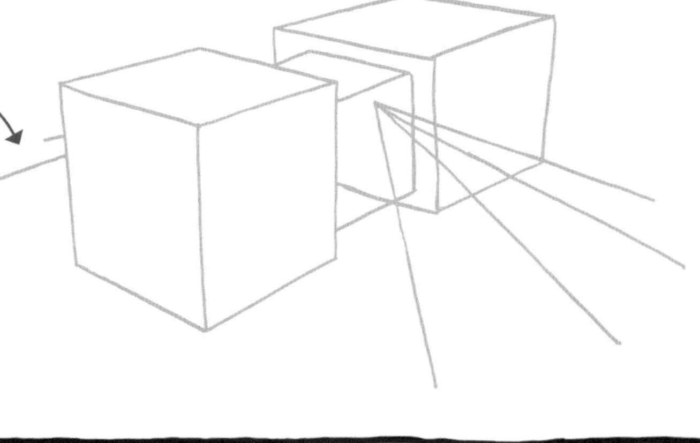

Une ambas partes con un cubo; luego, marca con unas líneas suaves dónde colocarás sus ocho patas.

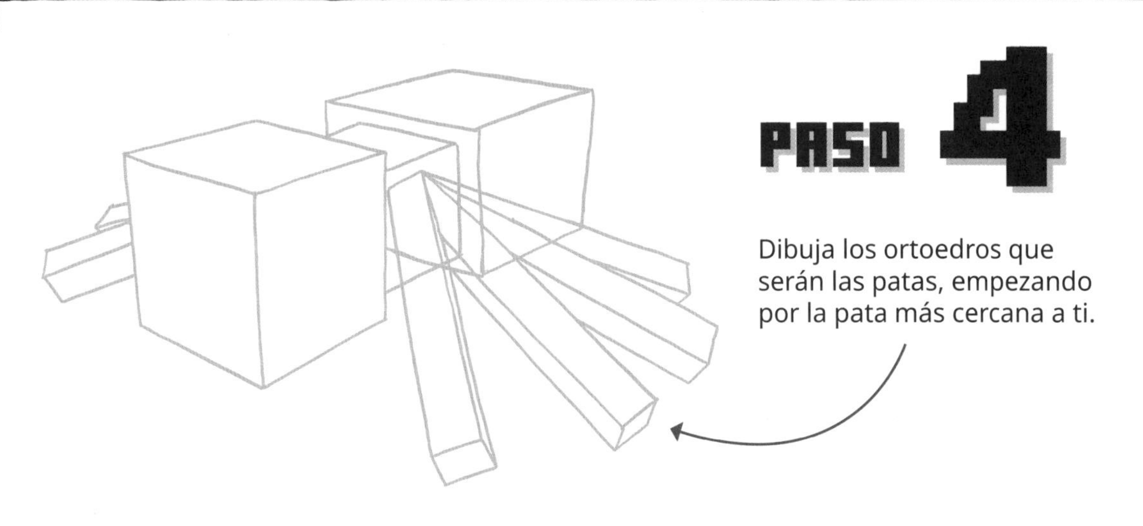

PASO 4

Dibuja los ortoedros que serán las patas, empezando por la pata más cercana a ti.

PASO 5

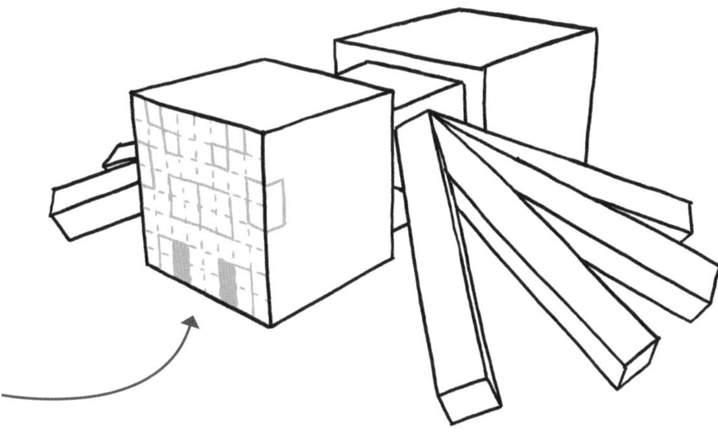

Con una cuadrícula, dibuja la cara de la araña, con sus múltiples ojos y colmillos... ¡puaj!

PASO 6

¡Sombrea la araña hasta que parezca que va a saltar de la página!

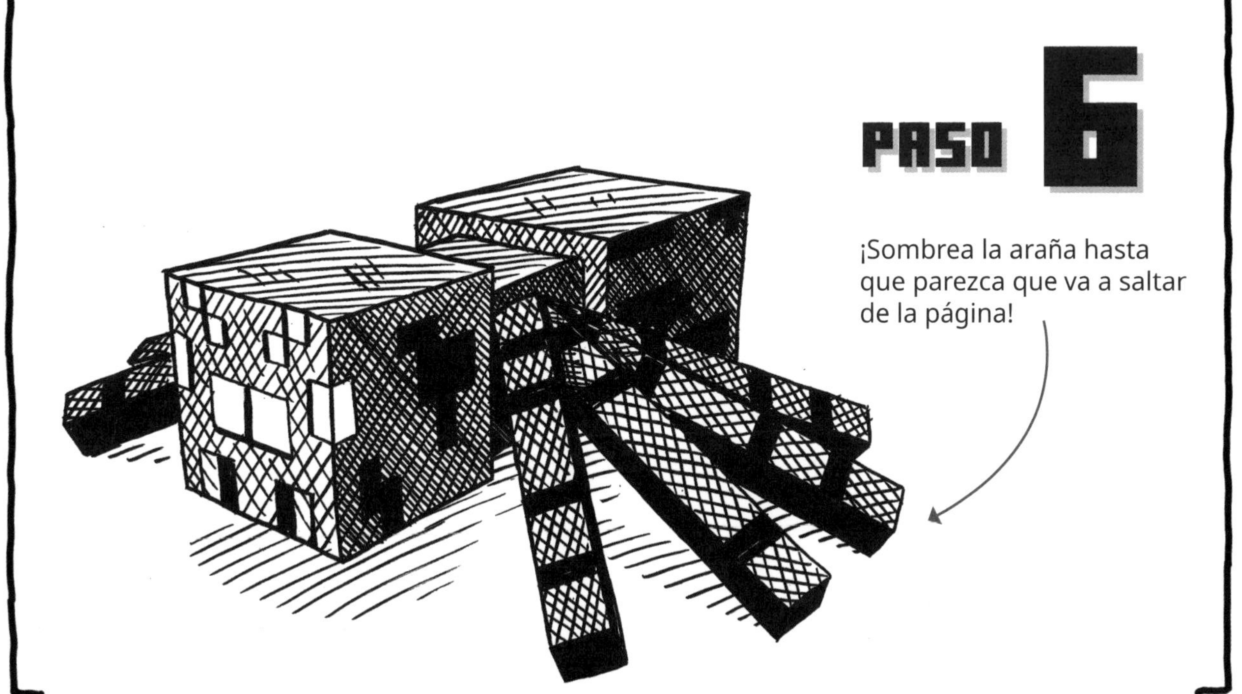

EL ESQUELETO

Durante el día, ten cuidado cuando busques agua o una sombra, ya que ahí se ocultan estos mobs tan molestos.

PASO 1

Para empezar, dibuja las partes más grandes del esqueleto: su cabeza cuadrada y su torso rectangular.

PASO 2

Un rectángulo estrecho será la columna, y un ortoedro, la pelvis.

PASO 3

Dibuja dos brazos bien extendidos, así como dos piernas huesudas.

PASO 4

Usa una cuadrícula para trazar la caja torácica y dibújale un arco irregular en un brazo.

Dibuja ese rostro tan inexpresivo con la ayuda de una cuadrícula de 8×8.

PASO 6

Añádele sombras, también en el interior de la pelvis y la caja torácica para resaltar los huecos.

EL PIGLIN

¿Has visto a un piglin haciendo la danza de la victoria tras cazar y derrotar a un hoglin?

Dibuja un cubo, que será la cabeza de tu piglin, y un ortoedro más fino pegado justo debajo, que será el cuerpo.

Añade dos ortoedros largos, que serán las patas. Las hemos dibujado para que parezca que camina hacia la batalla.

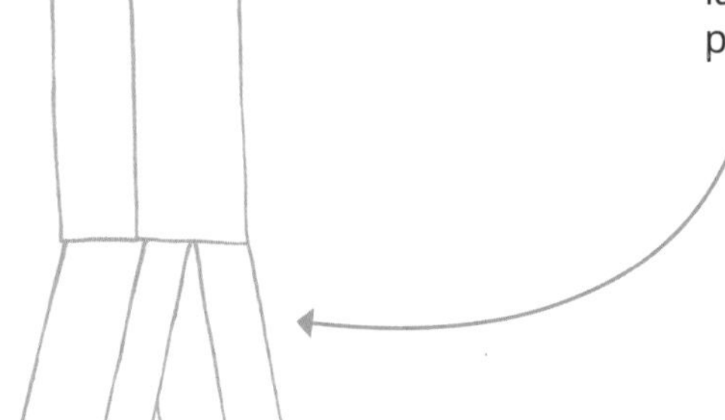

Para los brazos, dibuja otros dos ortoedros largos con una longitud similar a las patas. Dibuja un brazo listo para empuñar una espada.

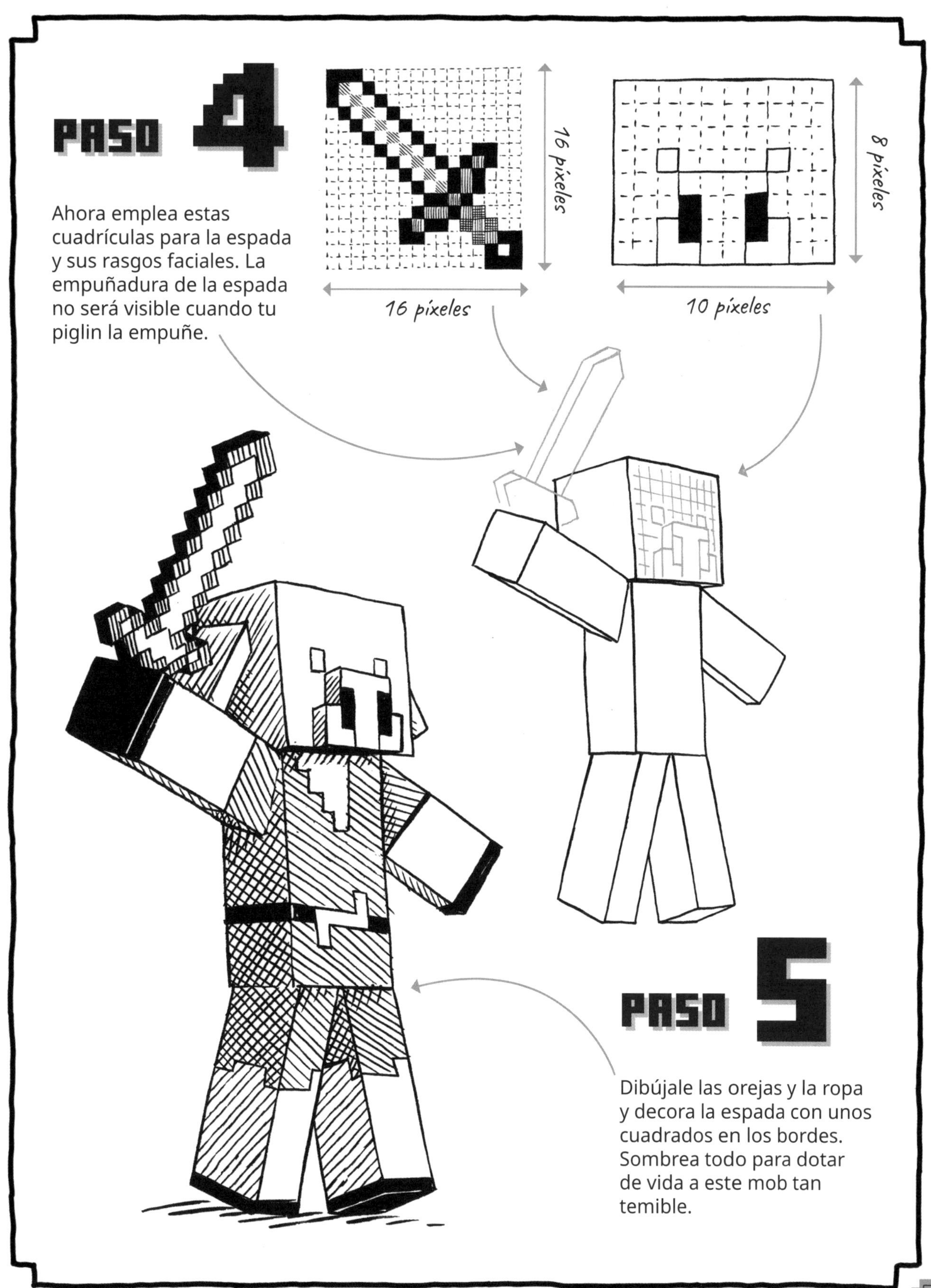

Ahora emplea estas cuadrículas para la espada y sus rasgos faciales. La empuñadura de la espada no será visible cuando tu piglin la empuñe.

Dibújale las orejas y la ropa y decora la espada con unos cuadrados en los bordes. Sombrea todo para dotar de vida a este mob tan temible.

LAS VARIANTES DE PIGLIN

¡Felicidades! Ya has aprendido a dibujar un piglin. Ahora, a ver si eres capaz de dibujar las distintas variantes de piglin.

TU RETO

Dibuja las variantes de piglin, siguiendo los pasos que te hemos enseñado en las dos páginas anteriores.

EL PIGLIN BRUTO

Al piglin bruto se lo reconoce por su hacha y brazalete dorados; también por sus pantalones cortos raídos y la enorme hebilla dorada de su cinturón.

EL CACHORRO DE PIGLIN

Tiene el aspecto de un piglin, pero su cuerpo es la mitad de pequeño, aunque conserva el mismo tamaño de cabeza.

EL PIGLIN ZOMBI

Dibuja un piglin y luego añádele unas costillas, un ojo negro (como si tuviera la cuenca vacía), unas patas huesudas y un mandil, y quítale la oreja en el lado que se le vea el esqueleto. Una visión terrorífica.

EL EVOCADOR

¿Sabías que los evocadores siempre harán que una oveja azul pase a ser roja? ¡Qué raro!

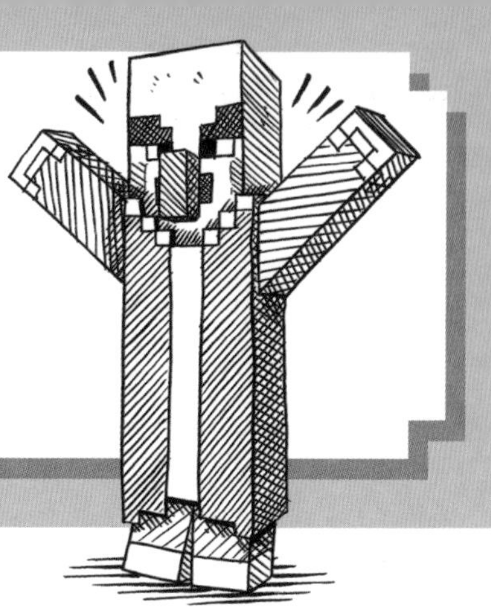

PASO 1

Dibuja un ortoedro ancho y largo, que será el cuerpo.

PASO 2

Dos ortoedros serán los brazos alzados, como si atacara.

PASO 3

Después, añade una cabeza rectangular y dos ortoedros cortos para las piernas.

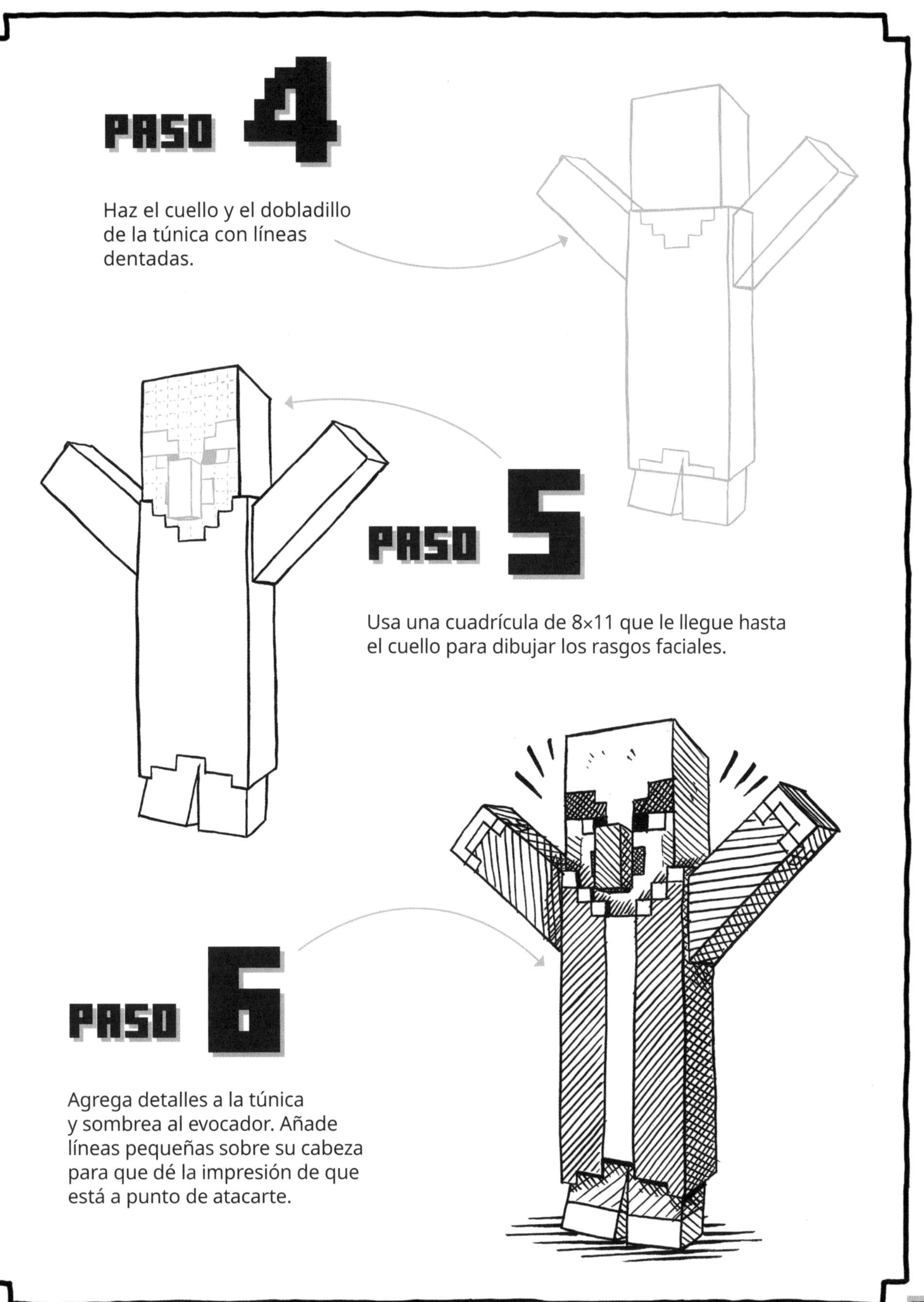

PASO 4

Haz el cuello y el dobladillo de la túnica con líneas dentadas.

PASO 5

Usa una cuadrícula de 8×11 que le llegue hasta el cuello para dibujar los rasgos faciales.

PASO 6

Agrega detalles a la túnica y sombrea al evocador. Añade líneas pequeñas sobre su cabeza para que dé la impresión de que está a punto de atacarte.

EL DEVASTADOR

Este mob es un incordio para los jugadores y las cosechas, ¡le encanta destrozar granjas!

PASO 1

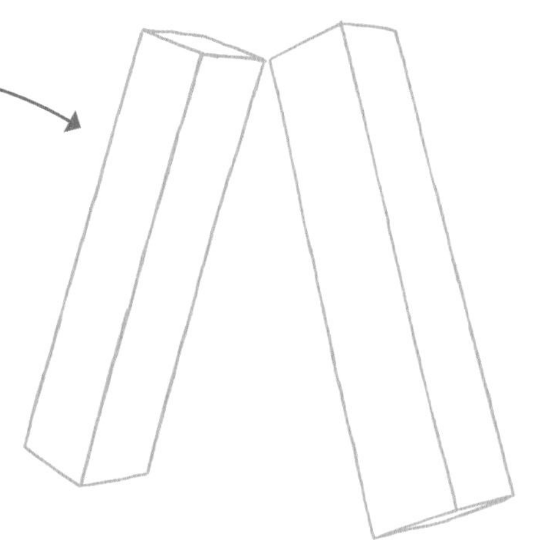

Esta vez, empezaremos por las patas. Dibuja dos ortoedros inclinados y apoyados el uno en el otro.

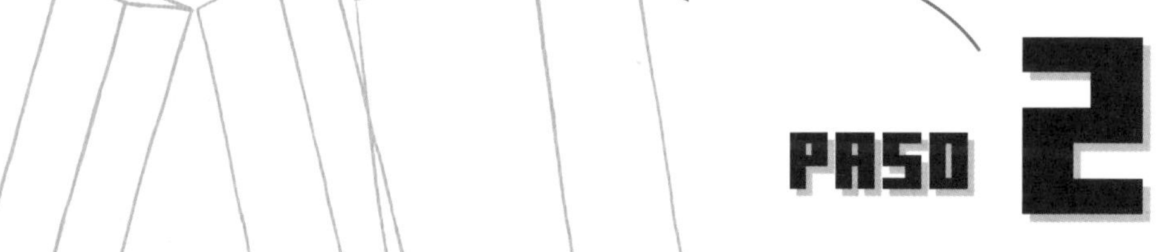

PASO 2

Añade un ortoedro grande, que será la cabeza.

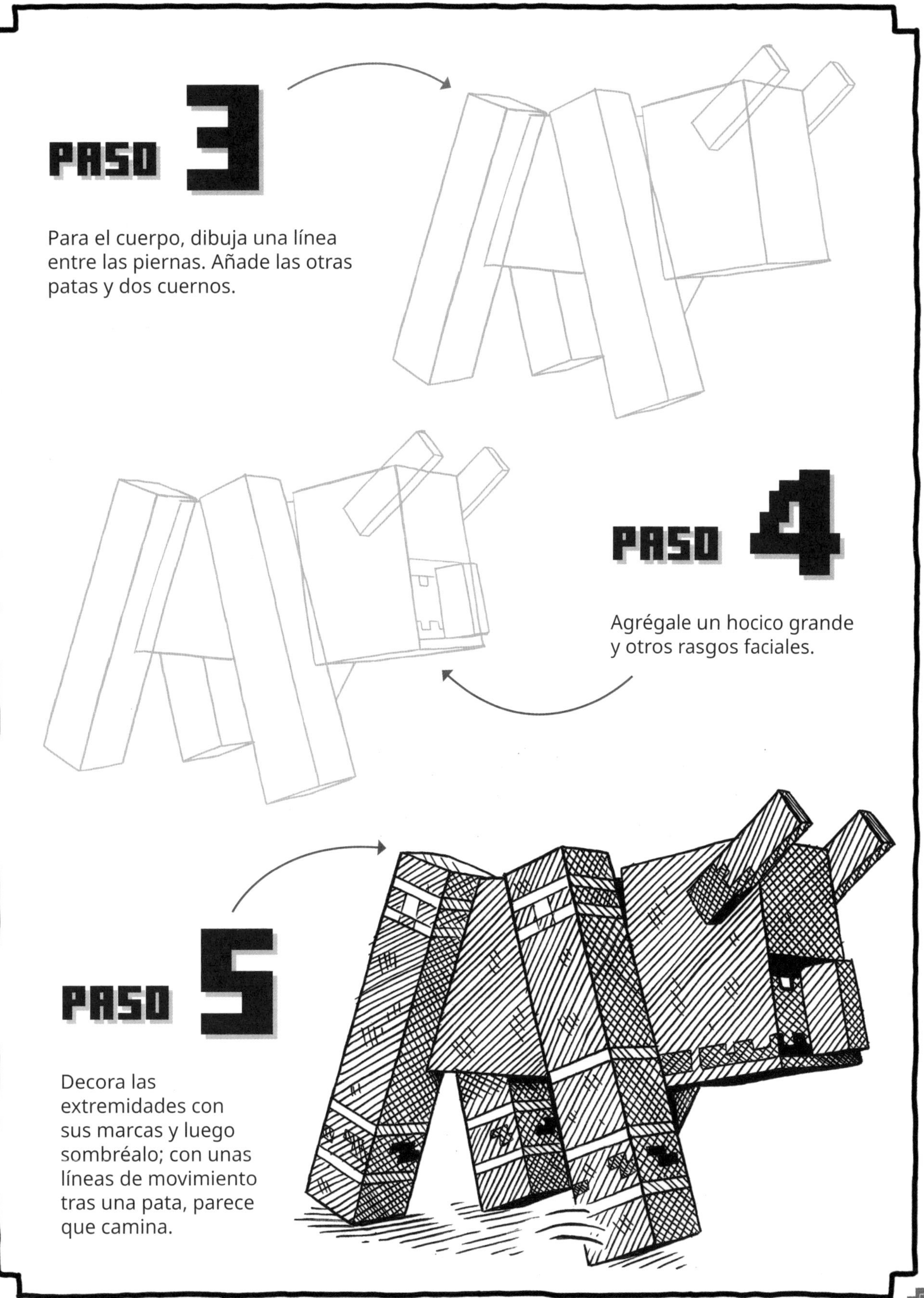

PASO 3

Para el cuerpo, dibuja una línea entre las piernas. Añade las otras patas y dos cuernos.

PASO 4

Agrégale un hocico grande y otros rasgos faciales.

PASO 5

Decora las extremidades con sus marcas y luego sombréalo; con unas líneas de movimiento tras una pata, parece que camina.

TIPOS DE MALDEANOS

Hay varios tipos de maldeanos, así como un par de mobs que se alían con ellos. Los evocadores, saqueadores y vindicadores son parecidos, pero los devastadores y los vexes son totalmente distintos.

TU RETO

En esta página, dibuja todos los maldeanos de Minecraft y a sus aliados. Sigue la explicación de cómo dibujar al evocador.

EL DEVASTADOR

Es similar al búfalo y tiene una cara parecida a la de un maldeano, pero ahí acaban los parecidos.

EL VEX

Realmente, no es un maldeano, pero los evocadores lo invocan para atacar.

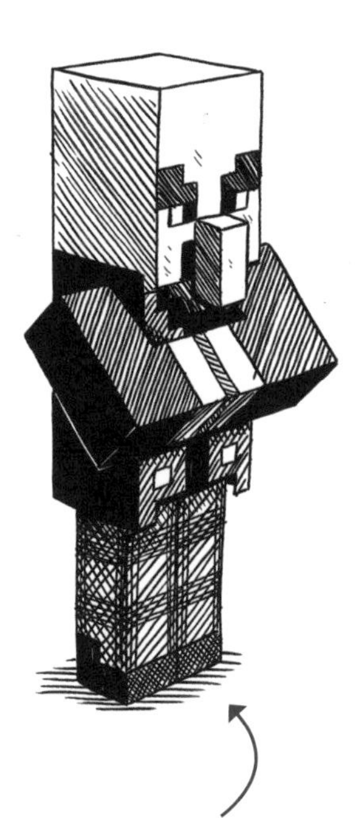

EL EVOCADOR

Los evocadores visten túnicas largas y levantan las manos para atacar.

EL SAQUEADOR

Nunca verás a un saqueador sin su ballesta característica.

EL VINDICADOR

Lo reconocerás por su chaqueta negra y sus pantalones de cuadros escoceses.

EN MOVIMIENTO

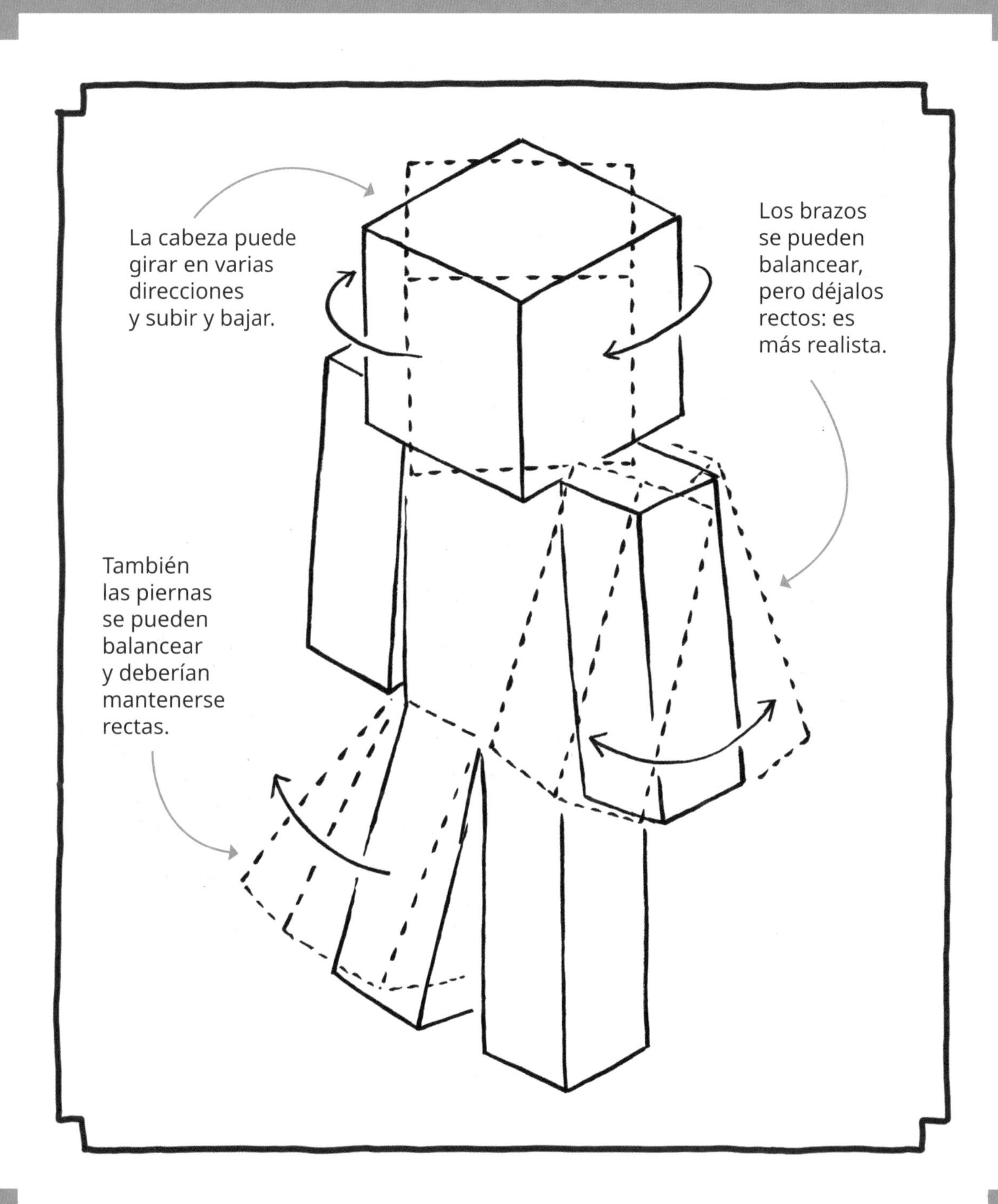

Como ya has dibujado muchos mobs, tal vez estés listo para dibujarlos en acción. Añádeles elementos que transmitan sensación de movimiento para lograr así que sean más dinámicos y cobren vida en la página. Echemos un vistazo a algunas de las técnicas para conseguir ese efecto.

HAZ QUE CORRA

Con líneas de movimiento tras las piernas mostrarás su dirección.

HAZ QUE SALUDE

Las mismas líneas sobre y bajo los brazos indicarán que los alza y los baja.

HAZ QUE LEVANTE LOS BRAZOS

Añade líneas de movimiento largas y curvas: muestran que ha levantado los brazos.

EN MOVIMIENTO

CONSEJO

Las líneas de movimiento muestran que algo se desplaza, en qué dirección y dónde. Si tu mob está buceando, dibújale unas líneas ondulantes detrás, y si vuela en círculos, una línea que trace un arco tras ella.

En esta página, procura que tus dibujos muevan las extremidades y dé la sensación de movimiento. Primero, intenta dibujar en distintas poses al personaje con el que juegas y, cuando eso lo tengas dominado, ¿por qué no haces lo mismo con otros mobs? ¡No tengas miedo! ¡Sé creativo!

EL BLAZE

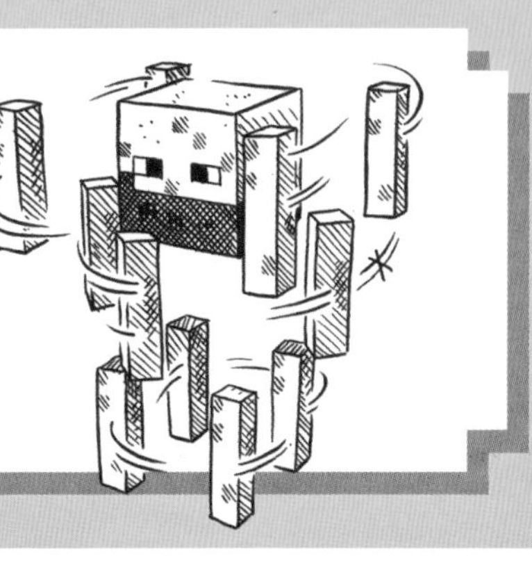

Si huyes de un blaze..., ¡buena suerte! ¡Puede ver a través de las paredes!

PASO 1

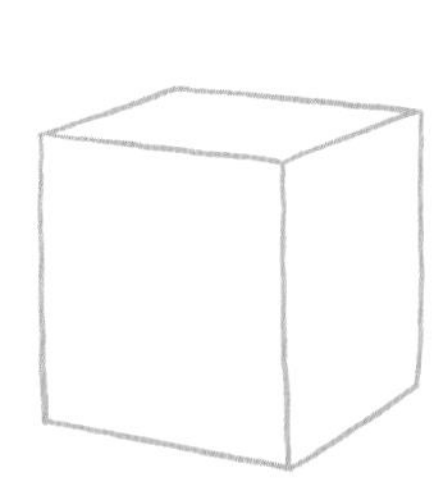

Dibuja un cubo, que será el cuerpo del blaze.

PASO 2

Traza líneas discontinuas alrededor del cubo y pon una barra en cada esquina, de igual altura que el cuerpo.

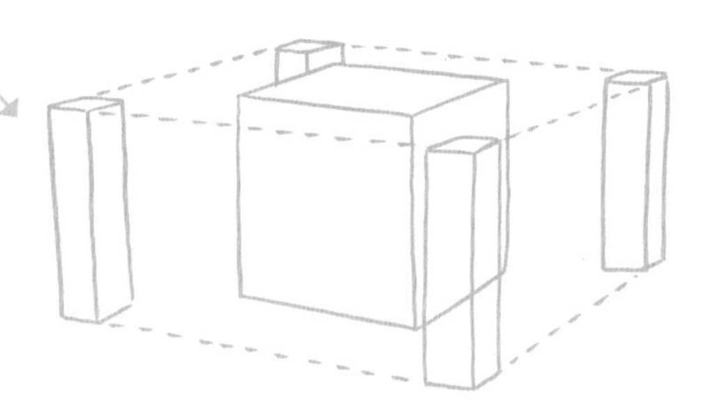

PASO 3

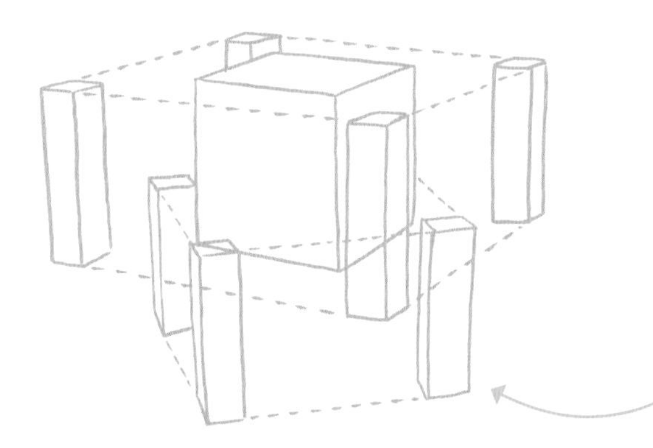

Repite el trazado de líneas, pero crea un ortoedro más pequeño. Sigue la posición y el ángulo de la imagen.

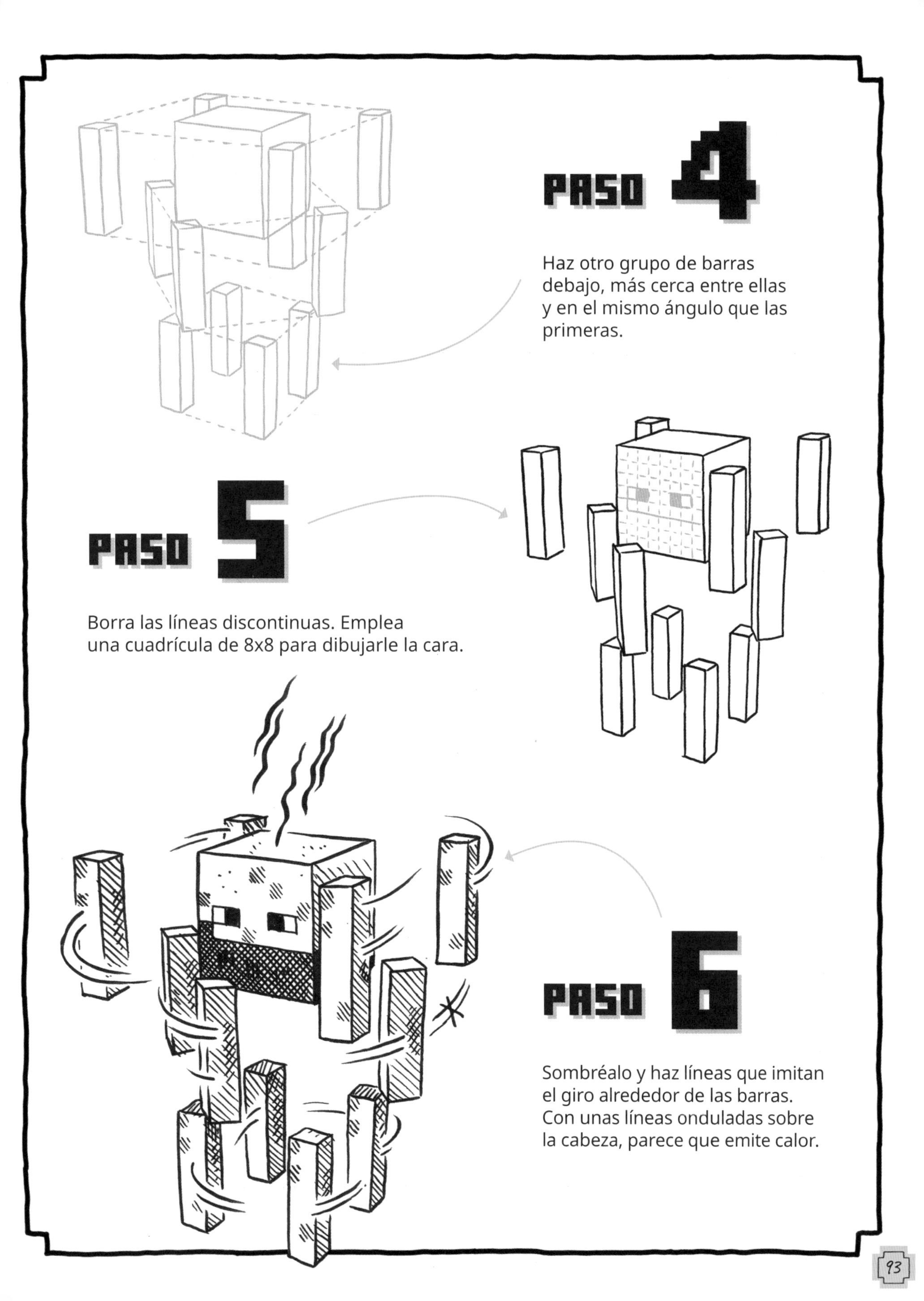

PASO 4

Haz otro grupo de barras debajo, más cerca entre ellas y en el mismo ángulo que las primeras.

PASO 5

Borra las líneas discontinuas. Emplea una cuadrícula de 8x8 para dibujarle la cara.

PASO 6

Sombréalo y haz líneas que imitan el giro alrededor de las barras. Con unas líneas onduladas sobre la cabeza, parece que emite calor.

EL HOGLIN

¿Has visto un cachorro de hoglin montado por varios cachorros de piglin? ¡Pueden cargar hasta tres!

PASO 1

Empieza con un ortoedro, que será el cuerpo del hoglin.

PASO 2

Añade un ortoedro largo delante; será una cabeza enorme.

PASO 3

Dos ortoedros serán las patas visibles, y un par de líneas, las patas opuestas.

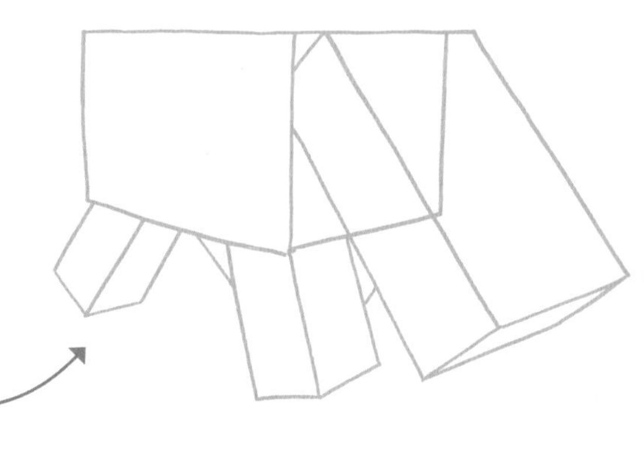

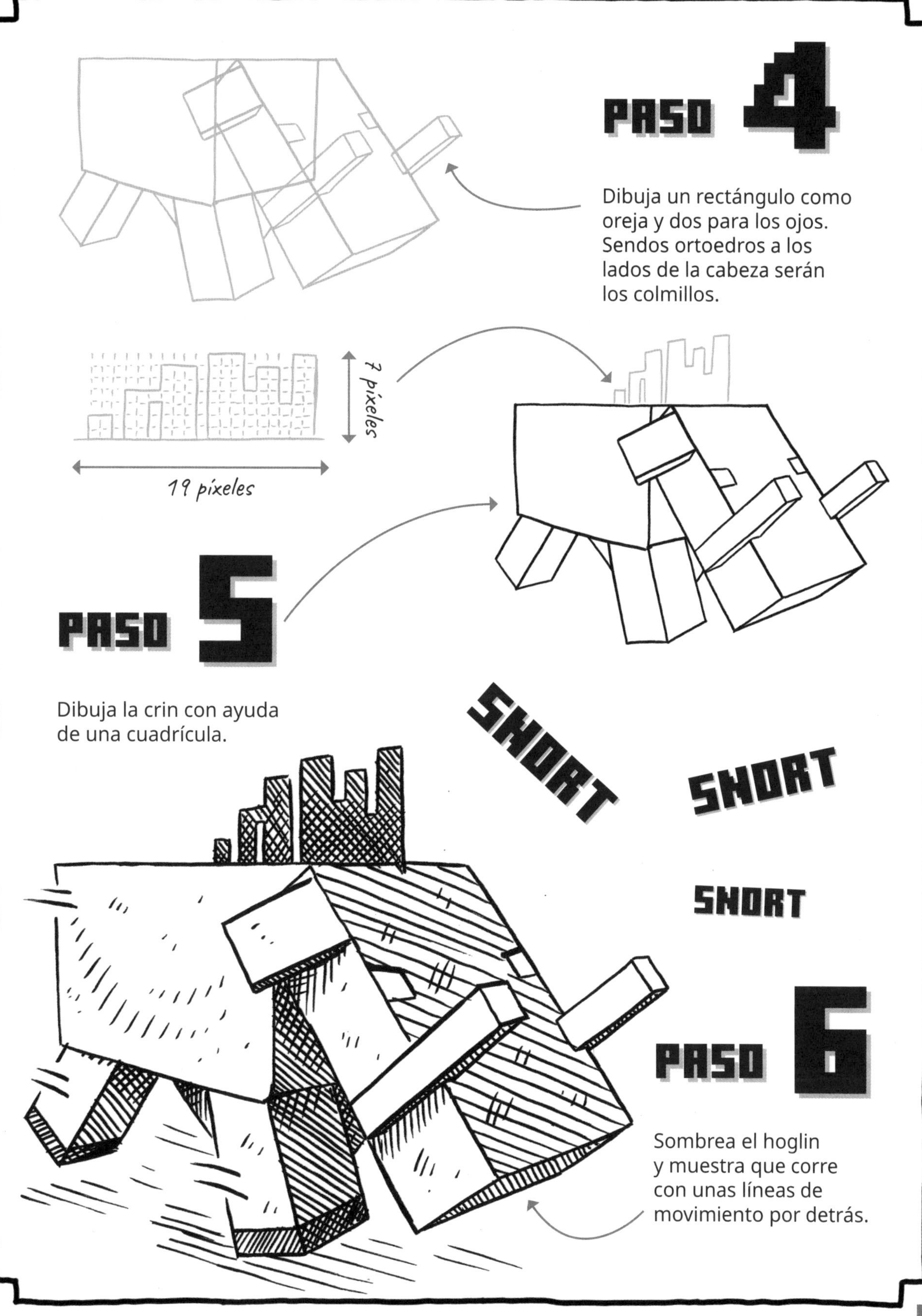
PASO 4
Dibuja un rectángulo como oreja y dos para los ojos. Sendos ortoedros a los lados de la cabeza serán los colmillos.
7 píxeles
19 píxeles
PASO 5
Dibuja la crin con ayuda de una cuadrícula.
SNORT
SNORT
SNORT
PASO 6
Sombrea el hoglin y muestra que corre con unas líneas de movimiento por detrás.

EL GUARDIÁN

Como sucede con un cuadro espeluznante, la mirada del guardián te seguirá donde vayas. ¡Qué horror!

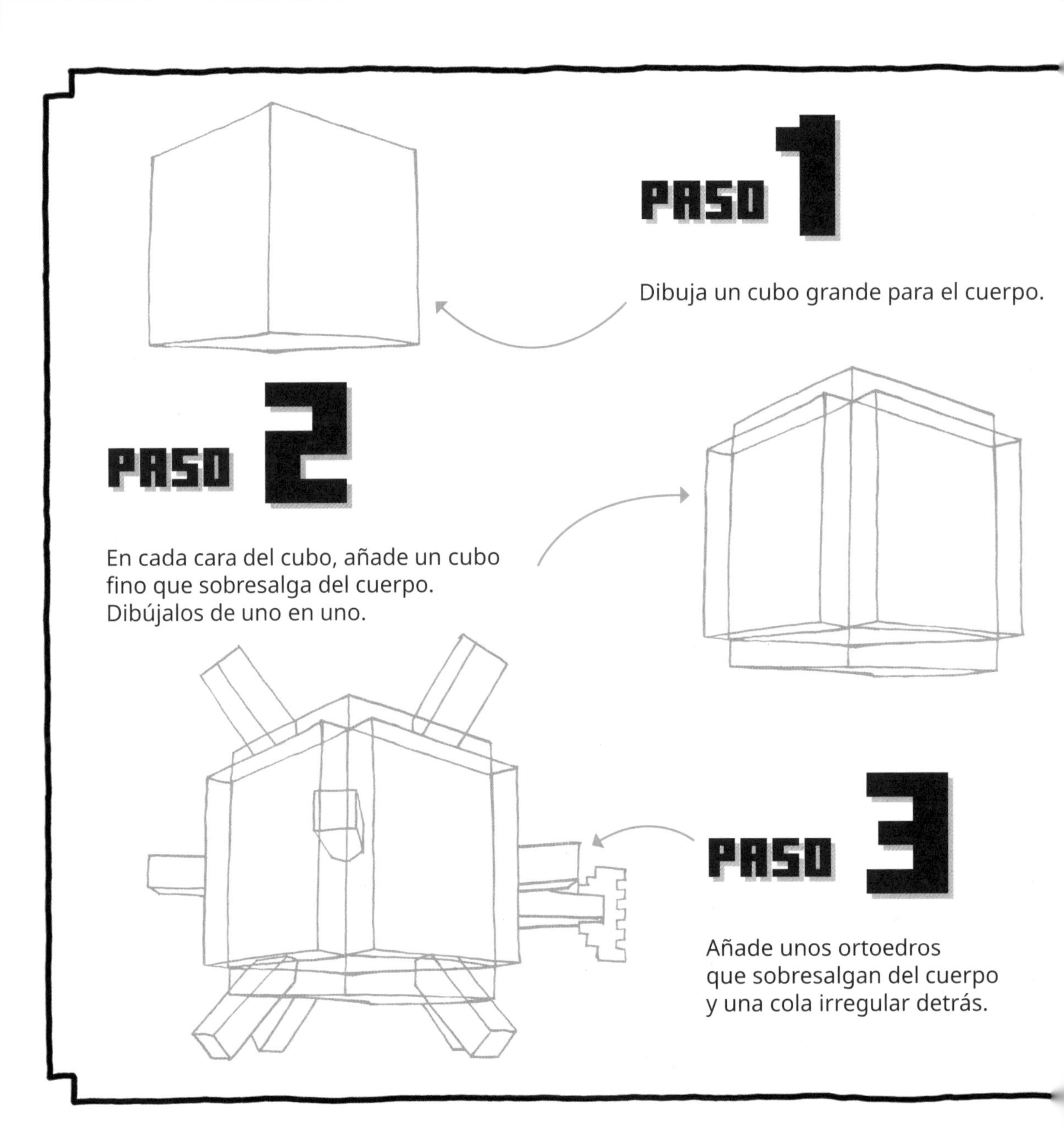

PASO 1

Dibuja un cubo grande para el cuerpo.

PASO 2

En cada cara del cubo, añade un cubo fino que sobresalga del cuerpo. Dibújalos de uno en uno.

PASO 3

Añade unos ortoedros que sobresalgan del cuerpo y una cola irregular detrás.

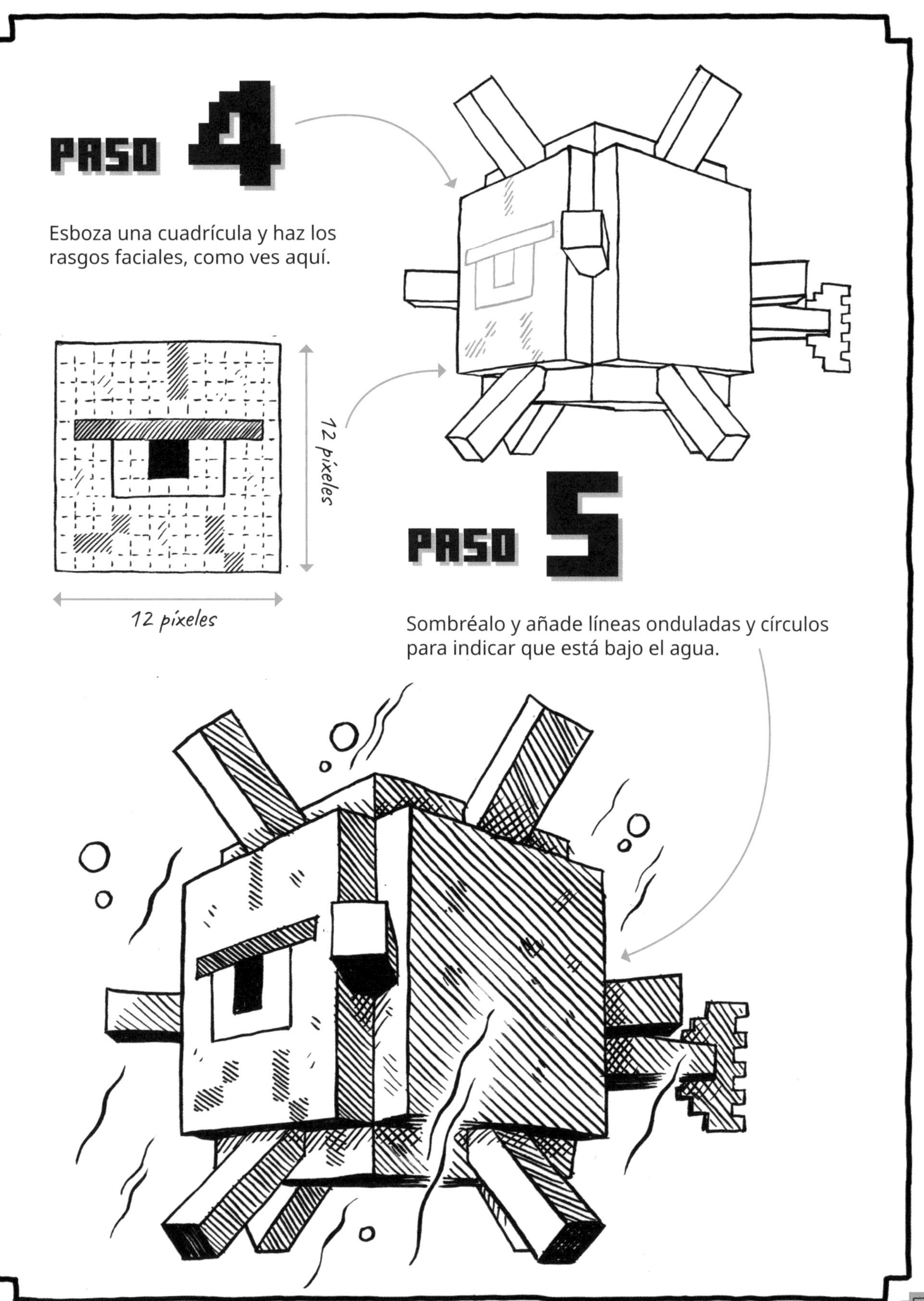

PASO 4

Esboza una cuadrícula y haz los rasgos faciales, como ves aquí.

PASO 5

Sombréalo y añade líneas onduladas y círculos para indicar que está bajo el agua.

EL SHULKER

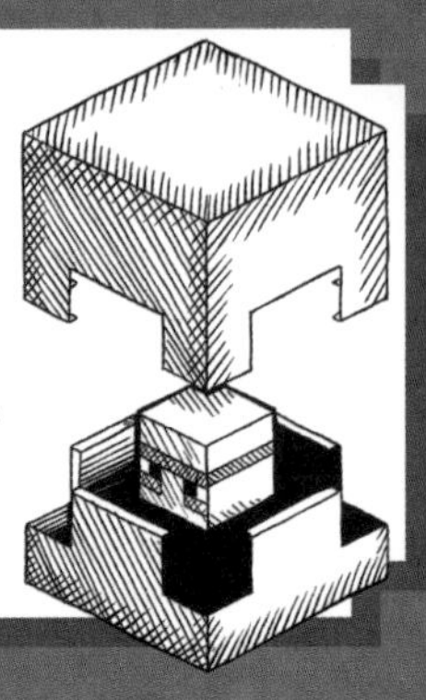

¿Sabías que puedes cambiar el color de la caja de un shulker? ¿Qué color elegirías para empezar?

Dibuja un ortoedro, que será la parte superior del caparazón.

PASO 2

Un ortoedro más estrecho será la parte inferior del caparazón.

Dibuja recortes en el centro superior y las esquinas inferiores.

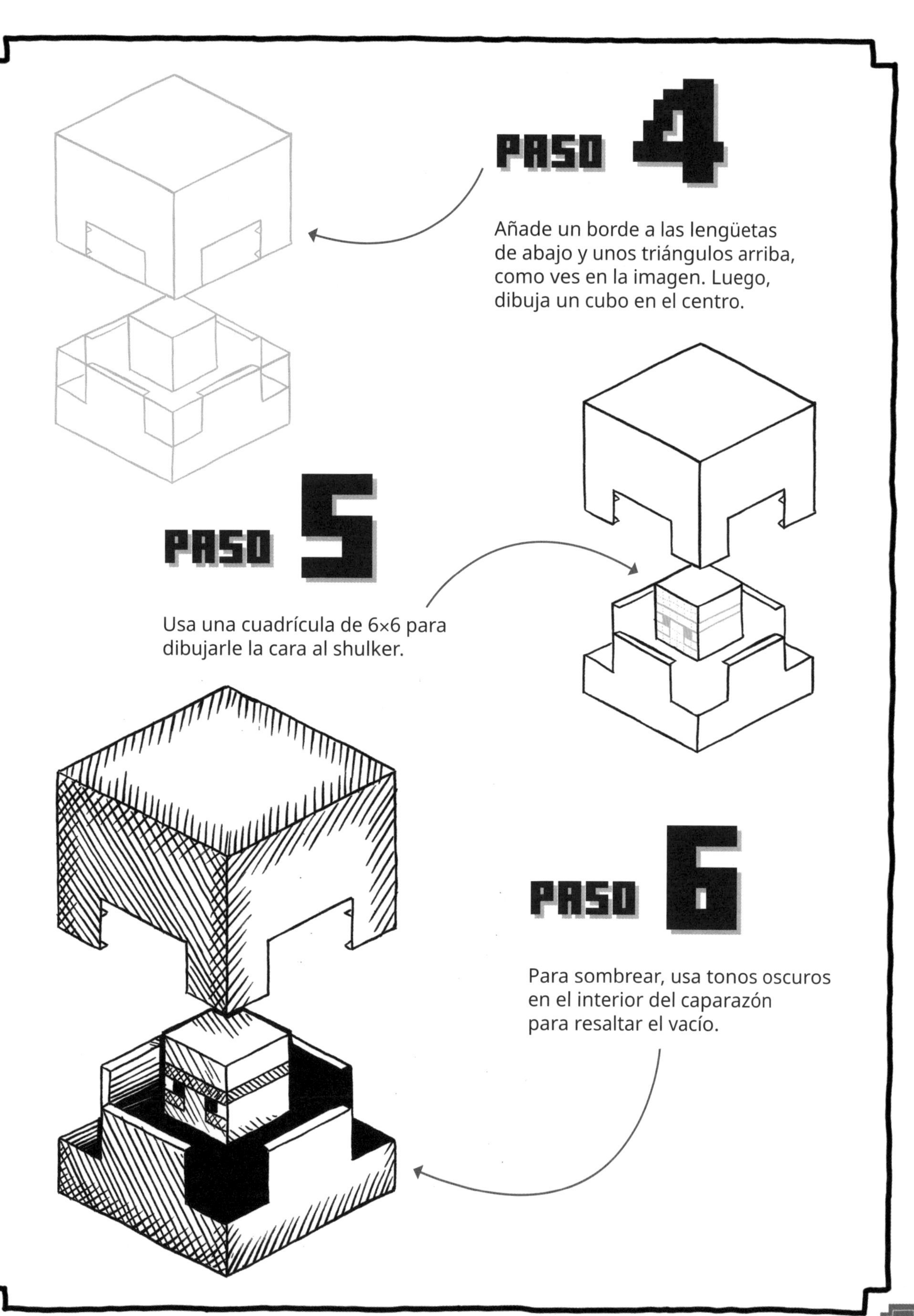

PASO 4

Añade un borde a las lengüetas de abajo y unos triángulos arriba, como ves en la imagen. Luego, dibuja un cubo en el centro.

PASO 5

Usa una cuadrícula de 6×6 para dibujarle la cara al shulker.

PASO 6

Para sombrear, usa tonos oscuros en el interior del caparazón para resaltar el vacío.

EL ZOMBI

Aunque lo intenten, los zombis solo destrozan puertas en el modo Difícil.

PASO 1

En primer lugar, dibuja un cubo, que será el cuerpo rectangular y fino del zombi.

PASO 2

Añade un cubo inclinado, que será la cabeza, así como dos cubos largos, que serán las piernas; dibújalos en ángulos distintos para mostrar que el zombi está andando.

PASO 3

¿Qué es un zombi sin los brazos extendidos hacia delante? Dibuja dos ortoedros largos que emerjan de los hombros y tengan una inclinación algo distinta.

PASO 4
Usa una cuadrícula para trazar su cara sin boca.
8 píxeles
8 píxeles
GRRR...
PASO 5
Sombrea el zombi y añade líneas de movimiento detrás ¡para mostrar que va a por ti!

EL CREEPER

¿Has intentado que explote un creeper con un chisquero de pedernal? Sisss, sisss... ¡BUUM!

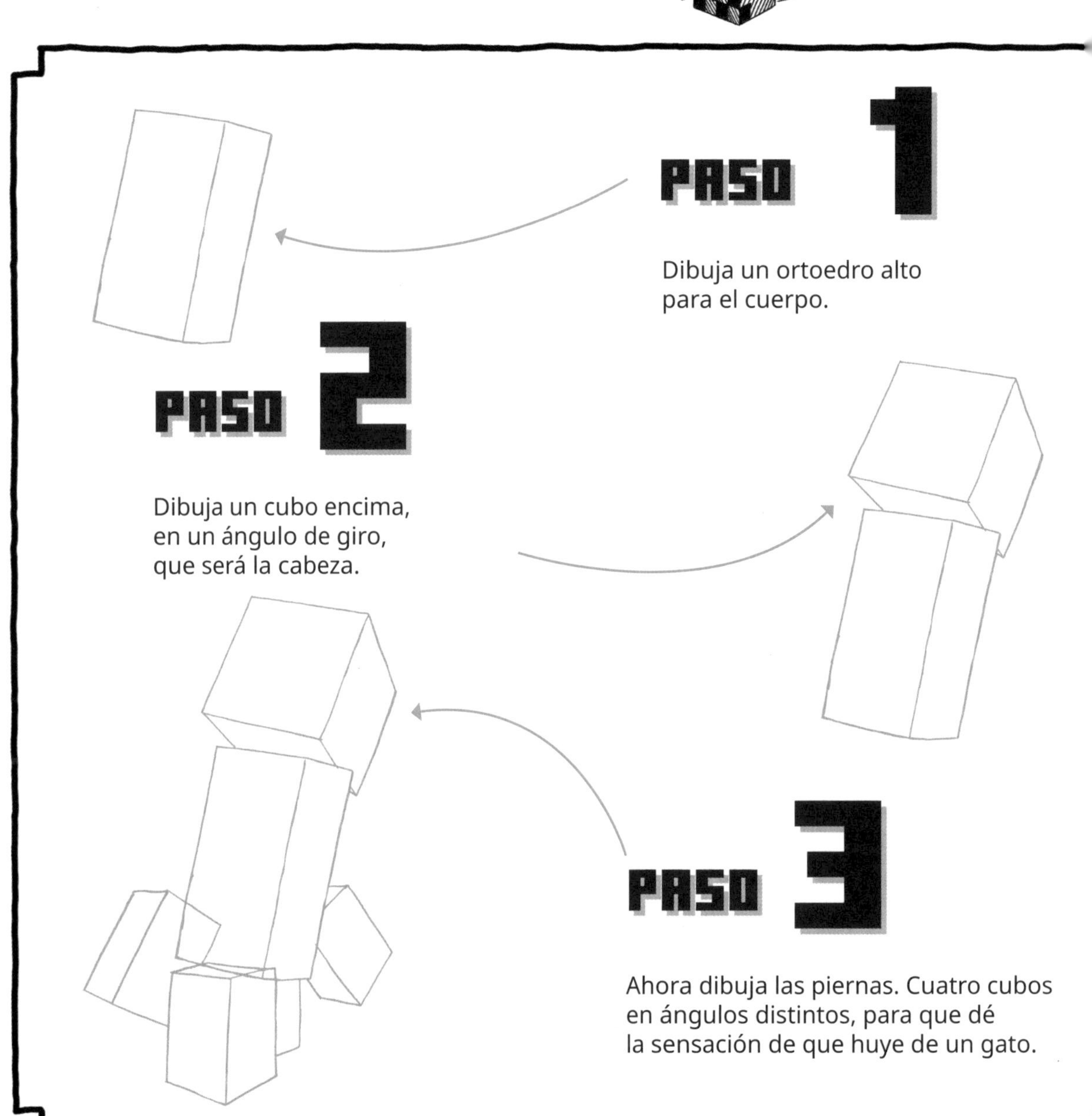

PASO 1

Dibuja un ortoedro alto para el cuerpo.

PASO 2

Dibuja un cubo encima, en un ángulo de giro, que será la cabeza.

PASO 3

Ahora dibuja las piernas. Cuatro cubos en ángulos distintos, para que dé la sensación de que huye de un gato.

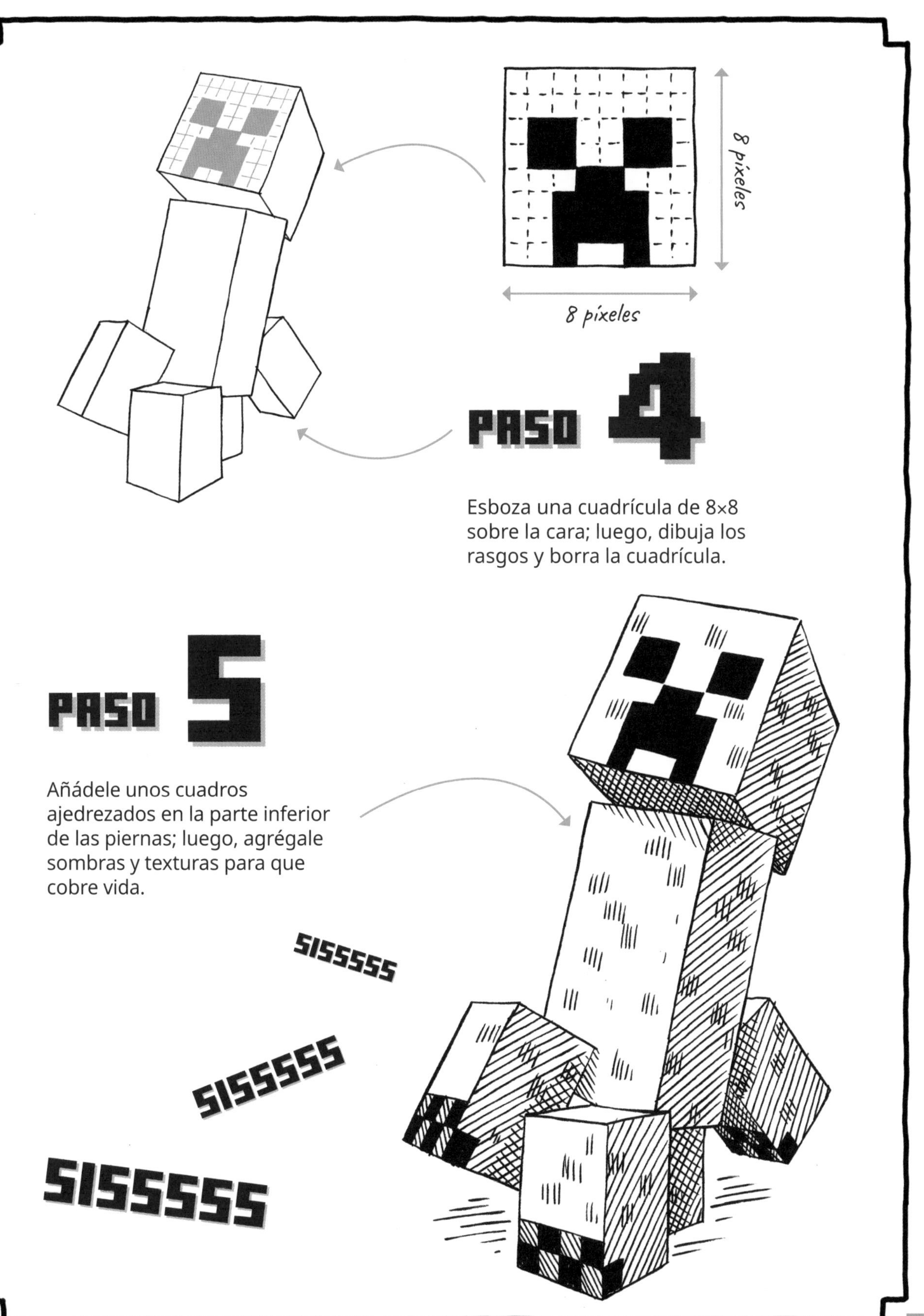
8 píxeles
8 píxeles
PASO 4
Esboza una cuadrícula de 8×8 sobre la cara; luego, dibuja los rasgos y borra la cuadrícula.
PASO 5
Añádele unos cuadros ajedrezados en la parte inferior de las piernas; luego, agrégale sombras y texturas para que cobre vida.
SISSSSS
SISSSSS
SISSSSS

EL WITHER

El Wither es uno de los pocos mobs que puedes crear para batallar. ¡Construyamos uno sobre papel!

PASO 1

Dibuja dos cubos; serán las cabezas exteriores. Usa una perspectiva de dos puntos de fuga (ve a la página 17).

PASO 2

Coloca la cabeza central: un cubo más grande entre los otros dos y un poco alzado.

PASO 3

Une las cabezas por detrás con un ortoedro que llegue hasta la mitad de las cabezas exteriores.

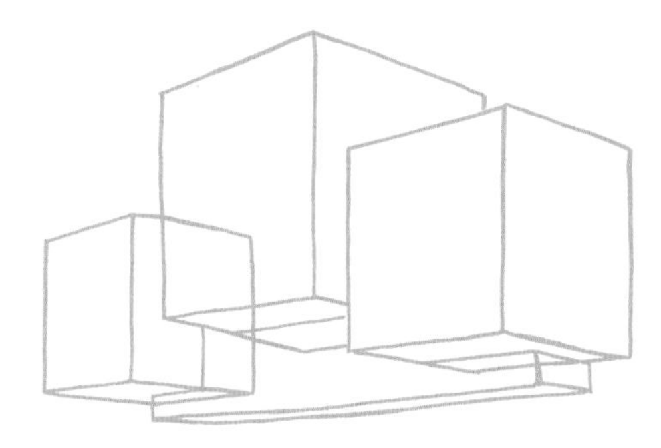

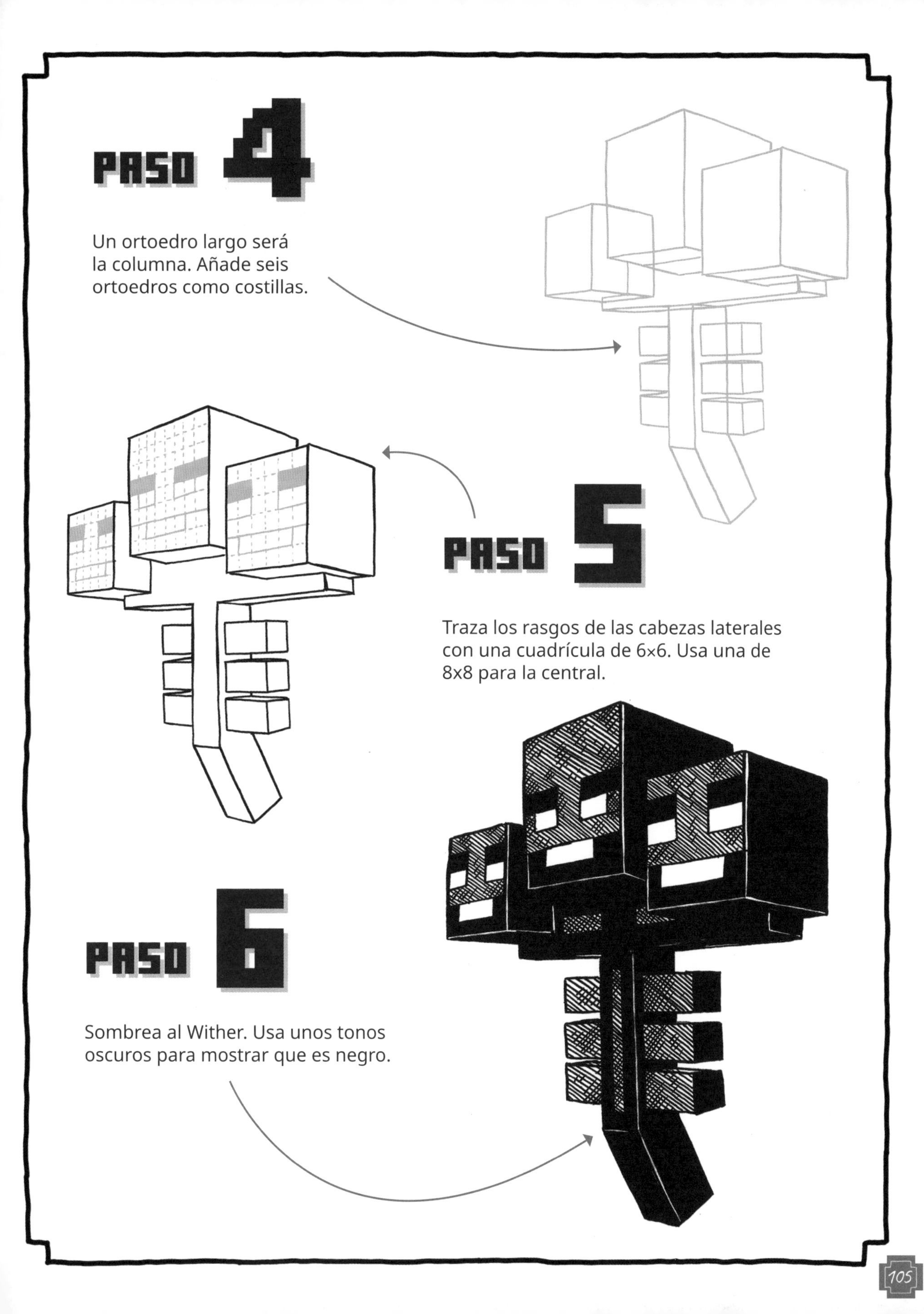

PASO 4

Un ortoedro largo será
la columna. Añade seis
ortoedros como costillas.

PASO 5

Traza los rasgos de las cabezas laterales
con una cuadrícula de 6×6. Usa una de
8x8 para la central.

PASO 6

Sombrea al Wither. Usa unos tonos
oscuros para mostrar que es negro.

EL WARDEN

El warden no ve, pero tiene buen oído. ¡No hagas ruido y lanza bolas de nieve para distraerlo!

PASO 1

Como es un mob alto, vamos a empezar por abajo. Dibuja dos ortoedros rectos, que serán las piernas; una de ellas algo más corta que la otra.

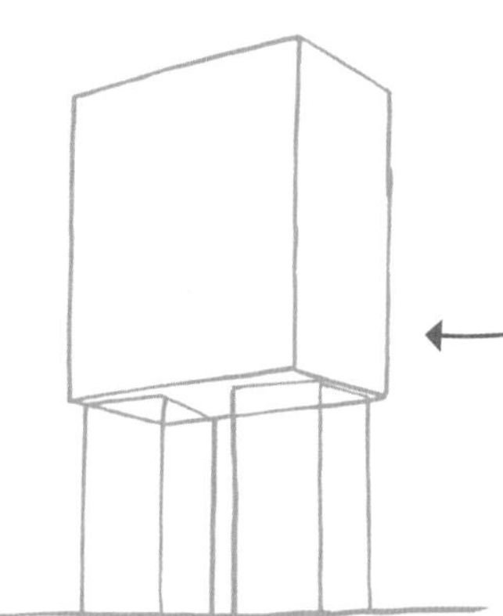

PASO 2

Añade el cuerpo: un cubo grande y voluminoso.

PASO 3

Dibuja un cubo cuadrado grande, que será la cabeza, y dos ortoedros superlargos, que serán los brazos. Se extenderán hasta casi la mitad de las piernas.

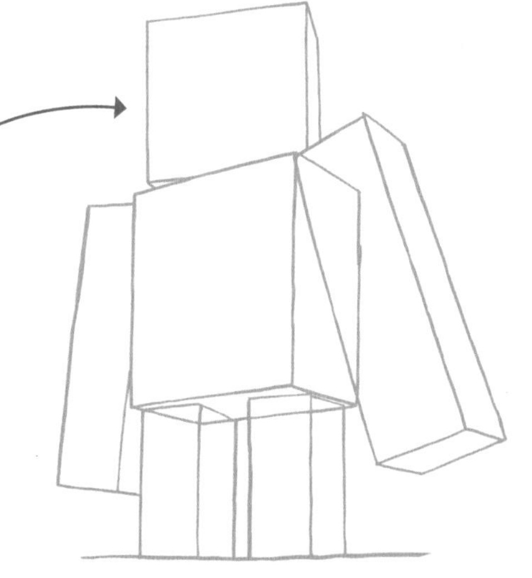

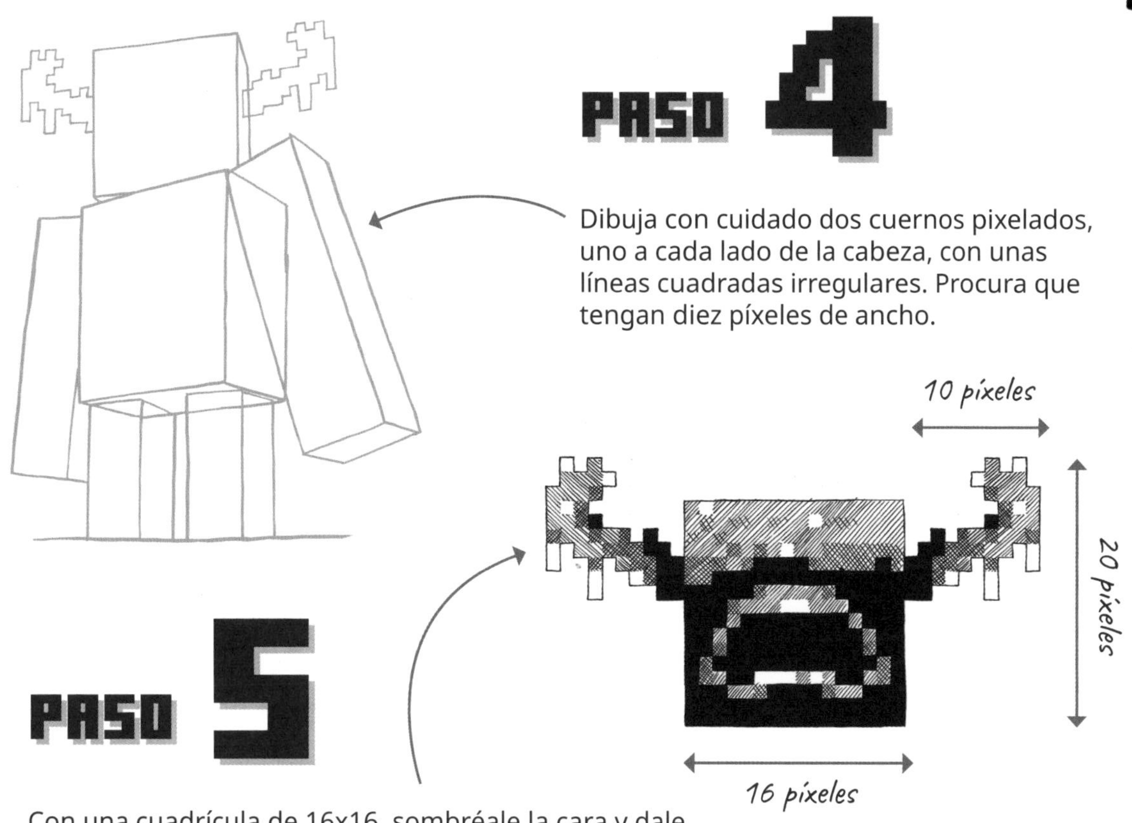

PASO 4

Dibuja con cuidado dos cuernos pixelados, uno a cada lado de la cabeza, con unas líneas cuadradas irregulares. Procura que tengan diez píxeles de ancho.

PASO 5

Con una cuadrícula de 16x16, sombréale la cara y dale texturas, como ves aquí. Luego, usa una cuadrícula para los detalles de los cuernos.

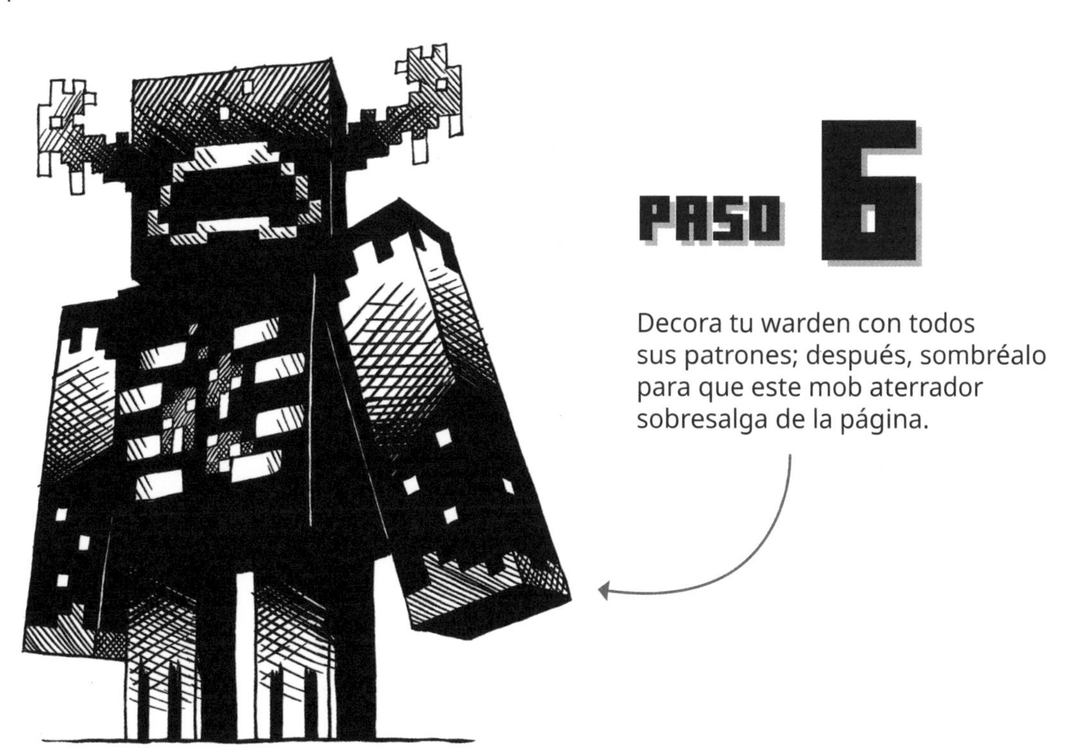

PASO 6

Decora tu warden con todos sus patrones; después, sombréalo para que este mob aterrador sobresalga de la página.

EL DRAGÓN DE ENDER

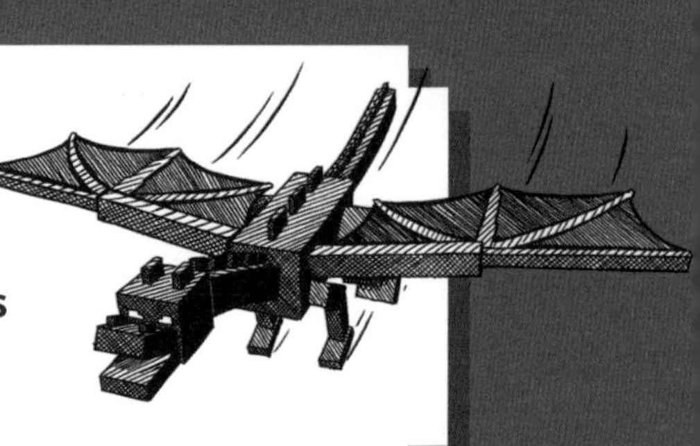

Vencer a este mob no es fácil: no le afectan los efectos de estado ni lo que le arrojes, ¡apenas sufrirá daño!

PASO 1

Dibuja un ortoedro largo, que será el cuerpo.

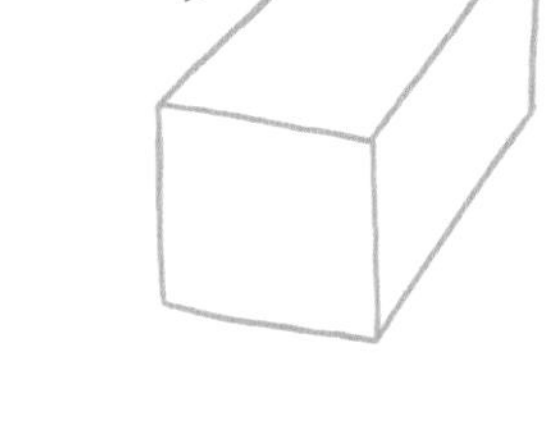

PASO 2

La cabeza será un cubo junto al cuerpo, pero no pegado.

PASO 3

Añade dos ortoedros largos que sobresalgan a ambos lados del cuerpo, que serán las alas del dragón.

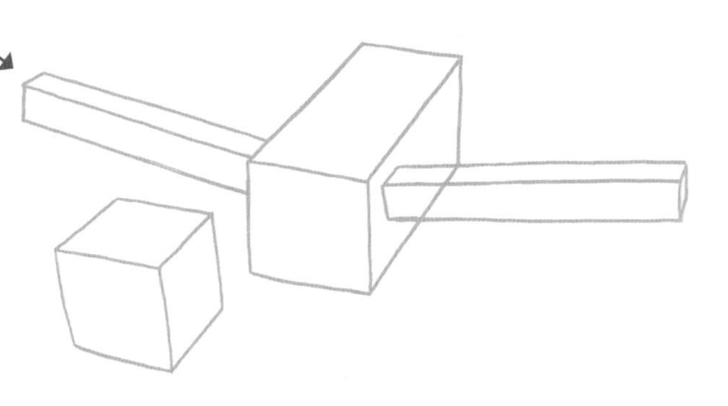

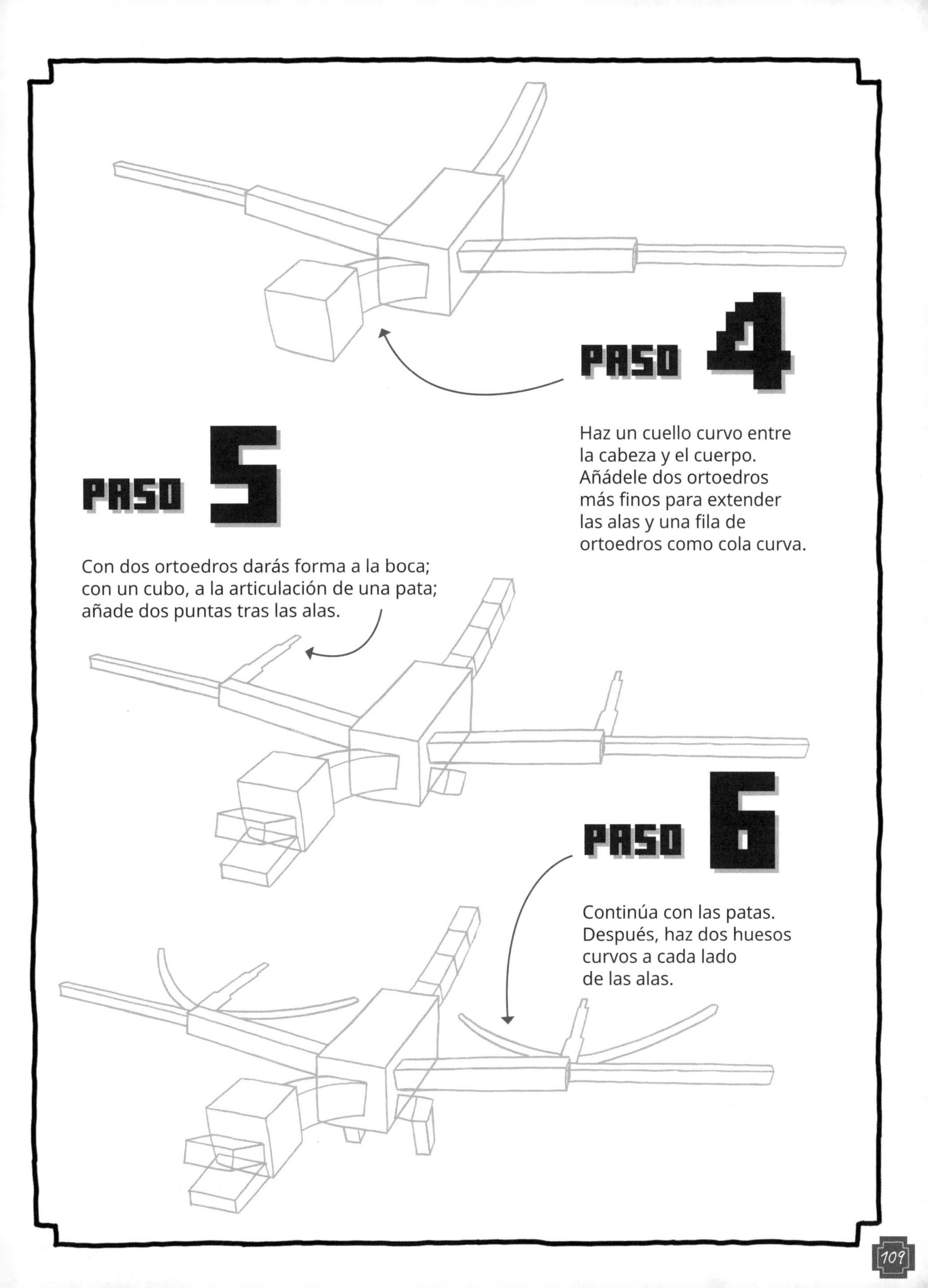

PASO 4

Haz un cuello curvo entre la cabeza y el cuerpo. Añádele dos ortoedros más finos para extender las alas y una fila de ortoedros como cola curva.

PASO 5

Con dos ortoedros darás forma a la boca; con un cubo, a la articulación de una pata; añade dos puntas tras las alas.

PASO 6

Continúa con las patas. Después, haz dos huesos curvos a cada lado de las alas.

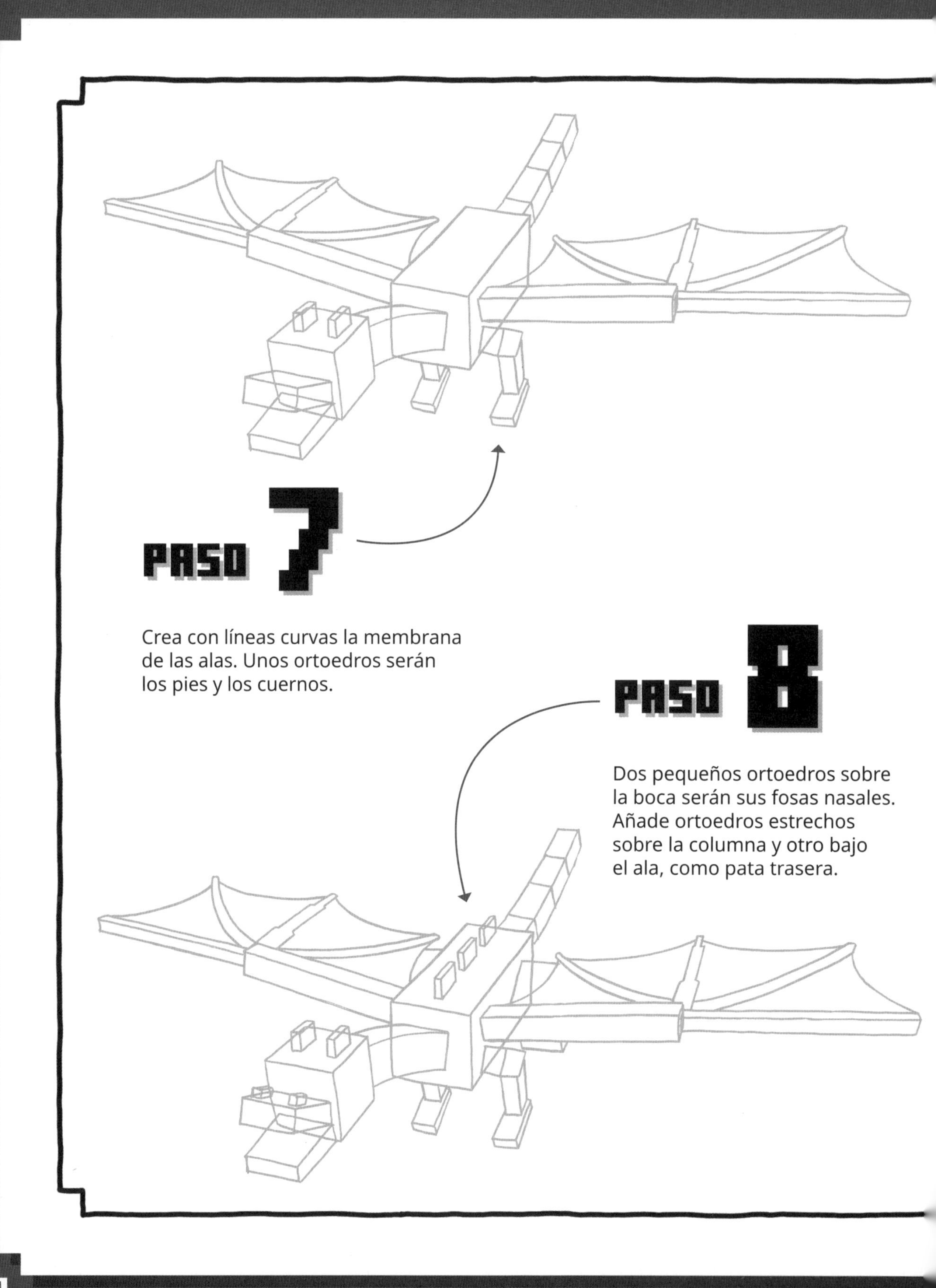

PASO 7

Crea con líneas curvas la membrana de las alas. Unos ortoedros serán los pies y los cuernos.

PASO 8

Dos pequeños ortoedros sobre la boca serán sus fosas nasales. Añade ortoedros estrechos sobre la columna y otro bajo el ala, como pata trasera.

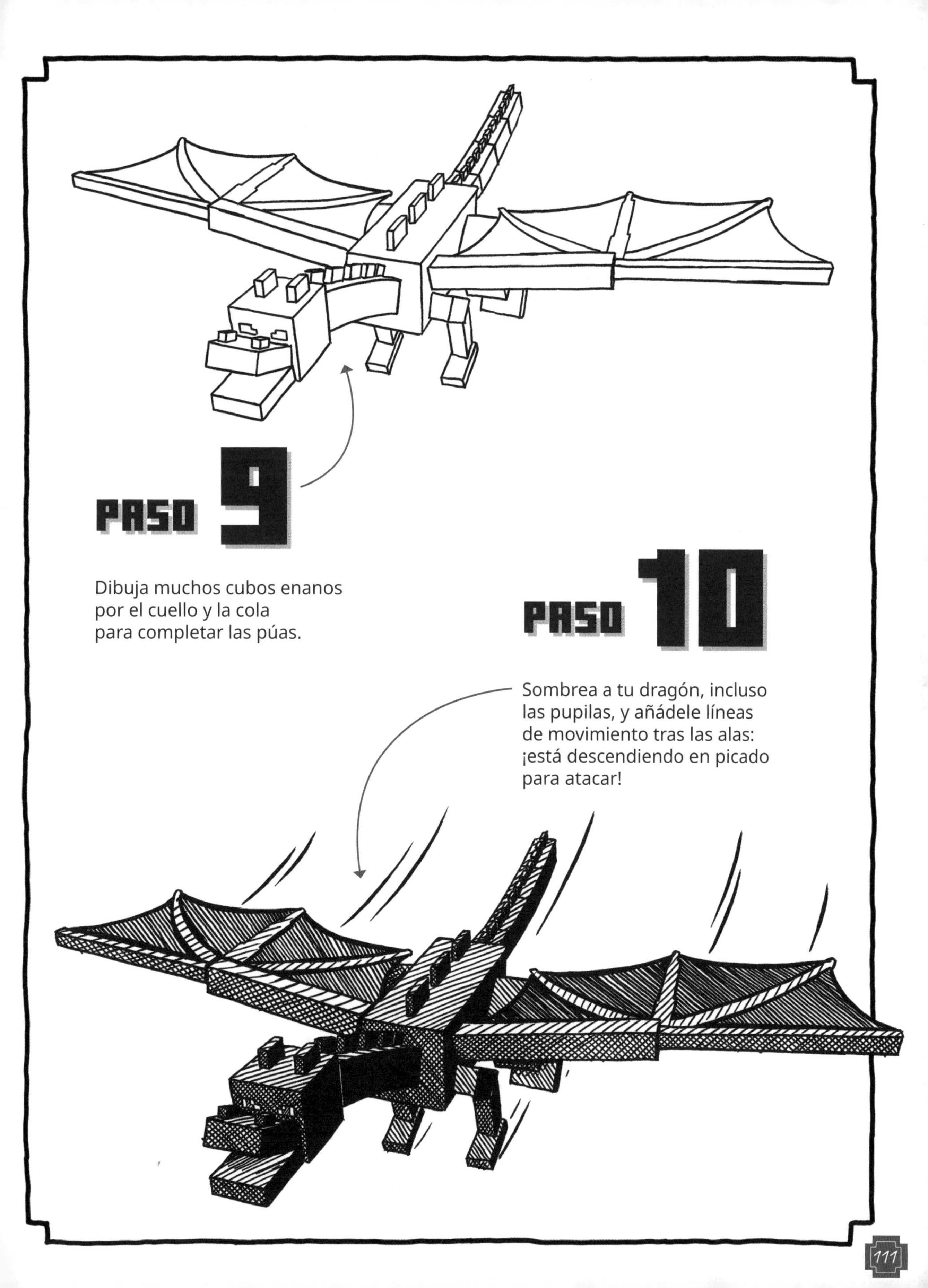

PASO 9

Dibuja muchos cubos enanos
por el cuello y la cola
para completar las púas.

PASO 10

Sombrea a tu dragón, incluso
las pupilas, y añádele líneas
de movimiento tras las alas:
¡está descendiendo en picado
para atacar!

LOS EDIFICIOS

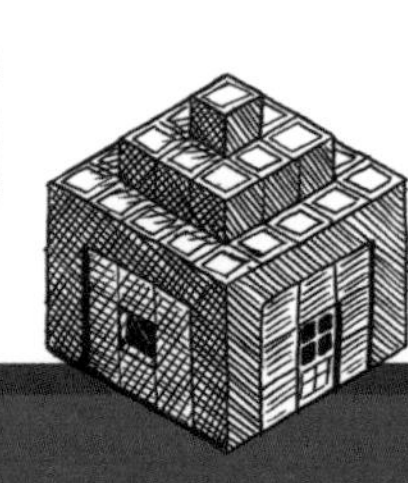
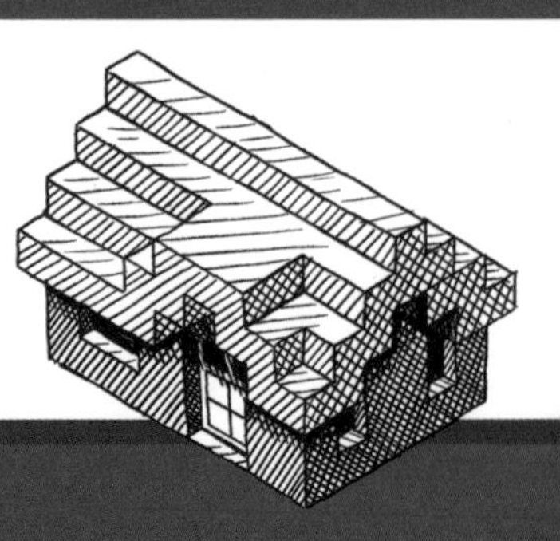

UNA CASA PEQUEÑA

1 Dibuja un cubo, que será la estructura principal.

2 Traza la primera capa del tejado de tu casa.

3 Dibuja un cubo como cierre del tejado.

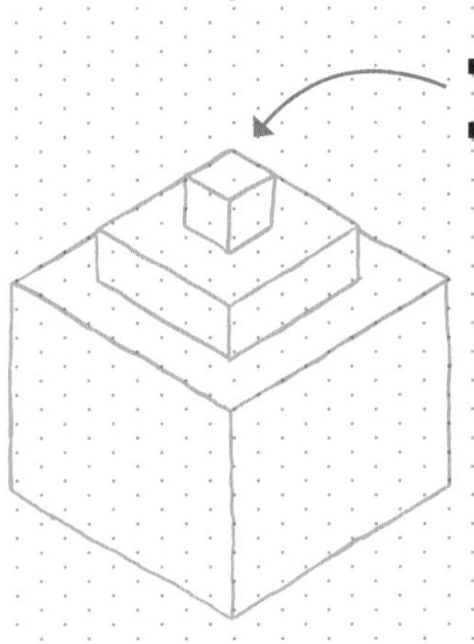

4 Agrega la puerta y una ventana a tu casa.

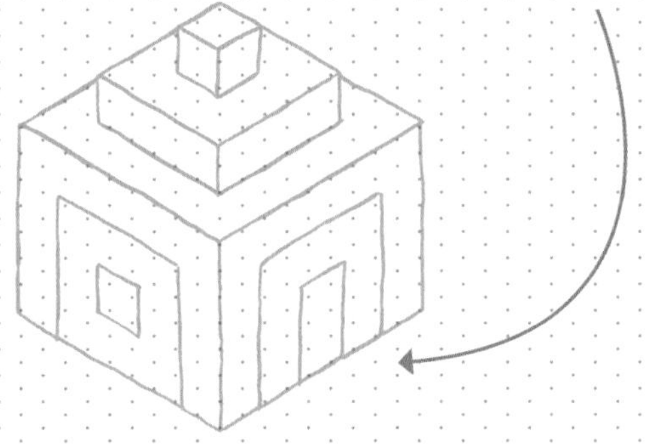

5 Sombrea tu casa con varias técnicas para resaltar los distintos bloques.

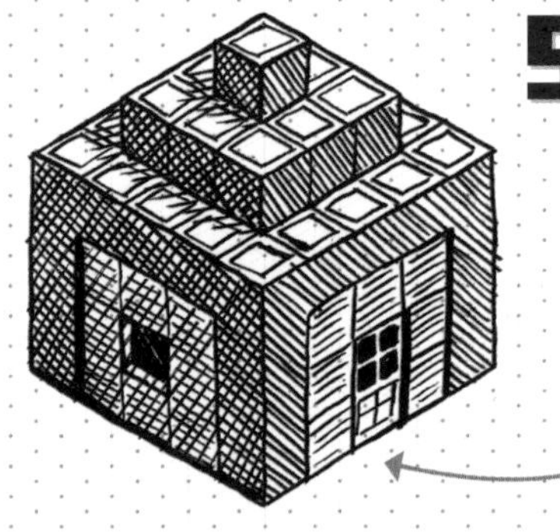

CONSEJO

Si utilizas varias técnicas de sombreado, podrás crear diferentes texturas para cada tipo de bloques.

Los mobs no son las únicas cosas divertidas que puedes dibujar en Minecraft: ¡también puedes recrear edificios! Si usas una hoja isométrica, te asegurarás de que tanto la perspectiva como las proporciones son correctas. Echa una ojeada a estos dos ejemplos y luego decide qué edificios geniales dibujar.

UNA CASA GRANDE

1 Empieza con la primera capa del tejado.

2 Añade la estructura principal debajo.

3 Dibuja la segunda capa del tejado.

4 Haz las dos capas finales del tejado.

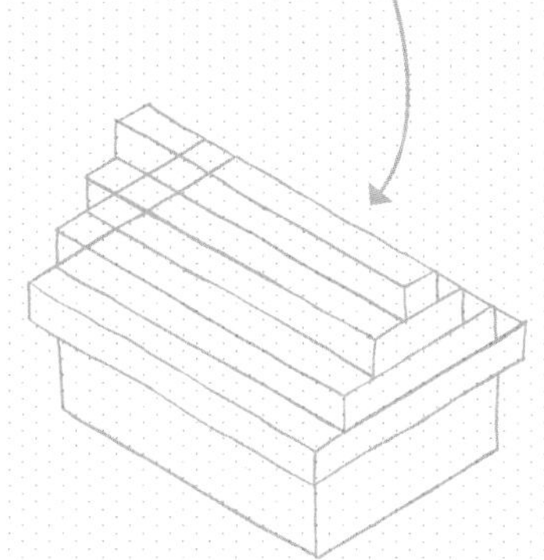

5 Añade un ortoedro sobre la capa más baja del tejado para cubrir las ventanas.

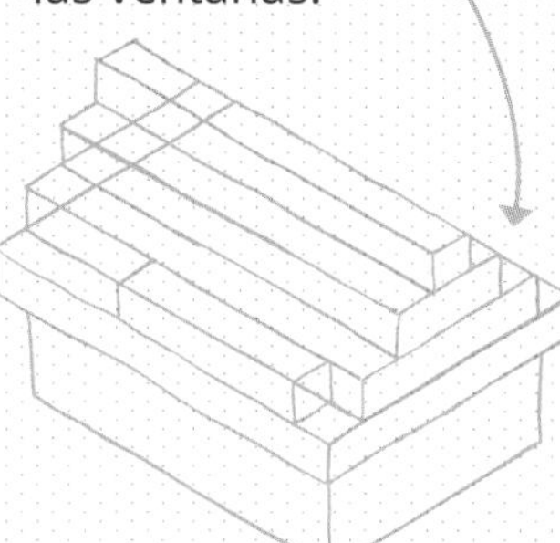

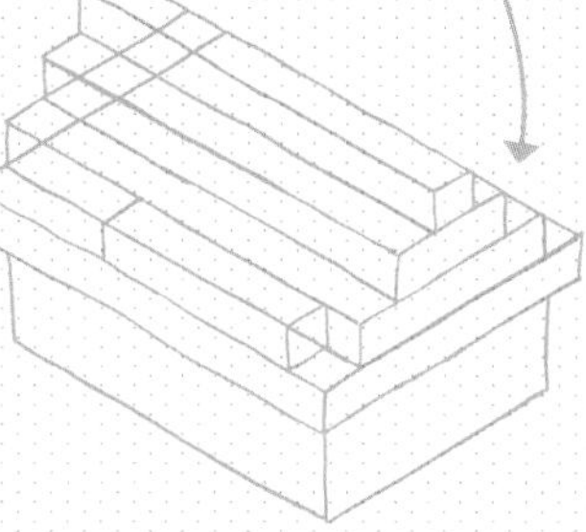

6 Agrega una segunda sobre las ventanas, extendiéndola hacia atrás.

7 Traza líneas al final del tejado para mostrar el arco.

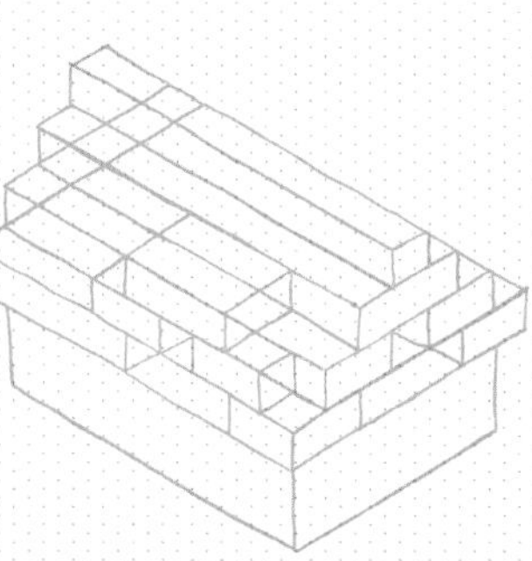

8 Añade las ventanas y una puerta.

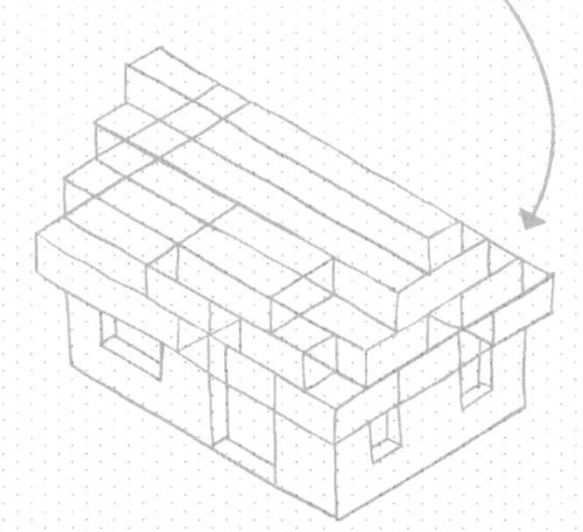

9 Sombrea el edificio ya acabado.

LOS ÁRBOLES

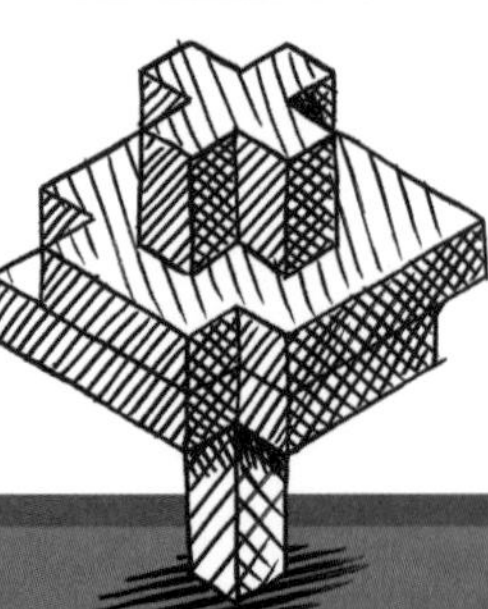

EL ABEDUL

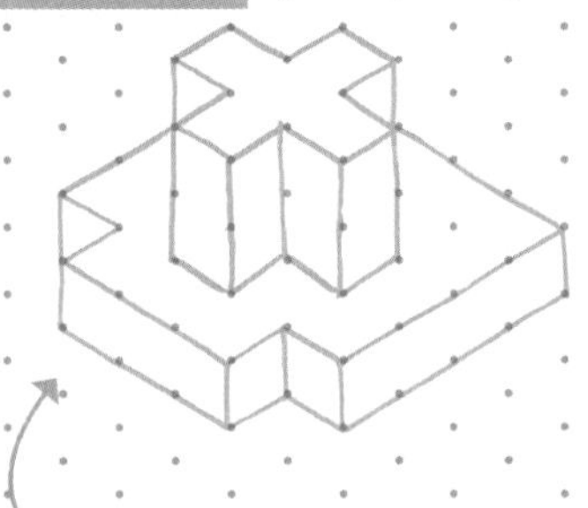

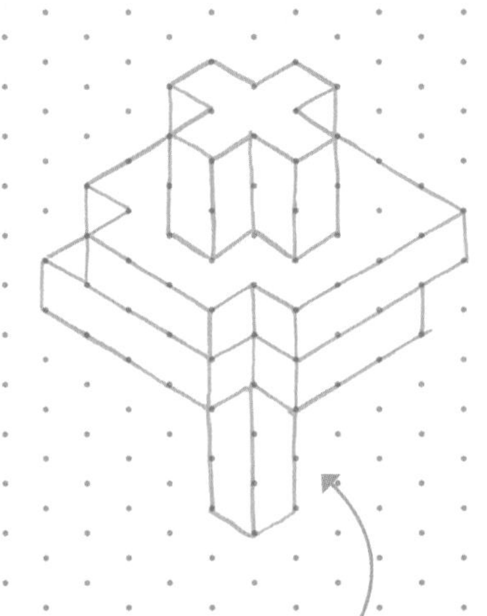

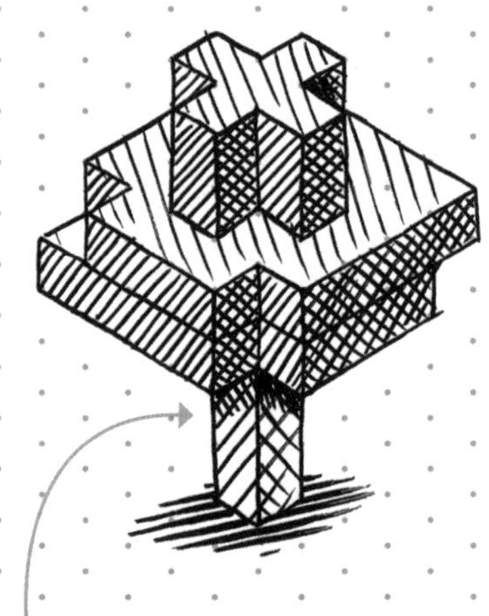

1 Haz una X de dos bloques de alto y rodéala con bloques.

2 Haz otra capa de bloques debajo (como ves en la imagen) y un tronco.

3 Elige una fuente de luz y después sombrea el abedul.

EL ROBLE OSCURO

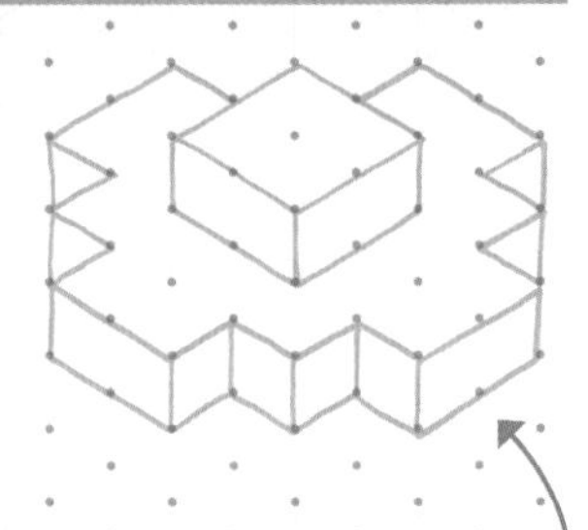

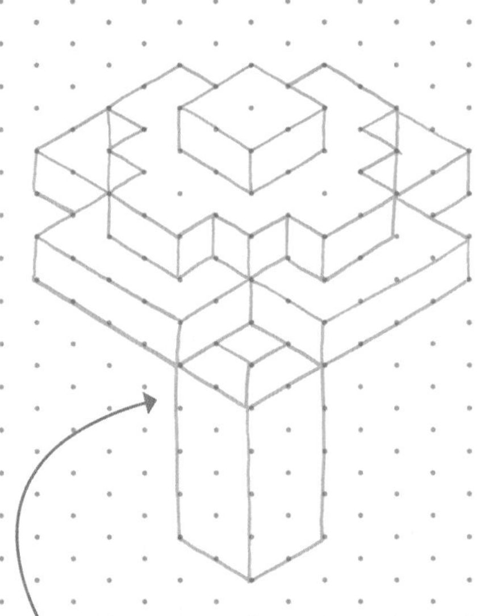

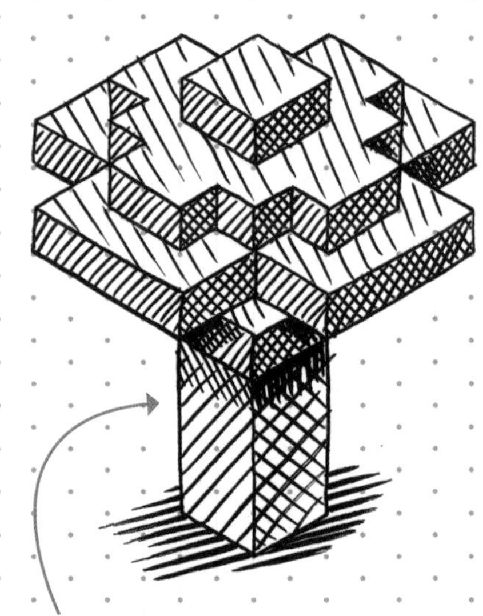

1 Empieza con un ortoedro y luego rodéalo con un círculo irregular.

2 Haz una cruz más grande debajo y después la esquina de otra capa.

3 Sombrea el roble y añádele una sombra debajo.

¡Sin unos árboles, una escena no estaría completa! En Minecraft hay desde abedules bajitos con troncos plateados hasta colosales árboles de la jungla con enredaderas colgantes. Es más sencillo dibujarlos en páginas isométricas, ya que puedes ir colocando las hojas por capas, unas encima de otras. Echa un vistazo a estos árboles.

LA JUNGLA

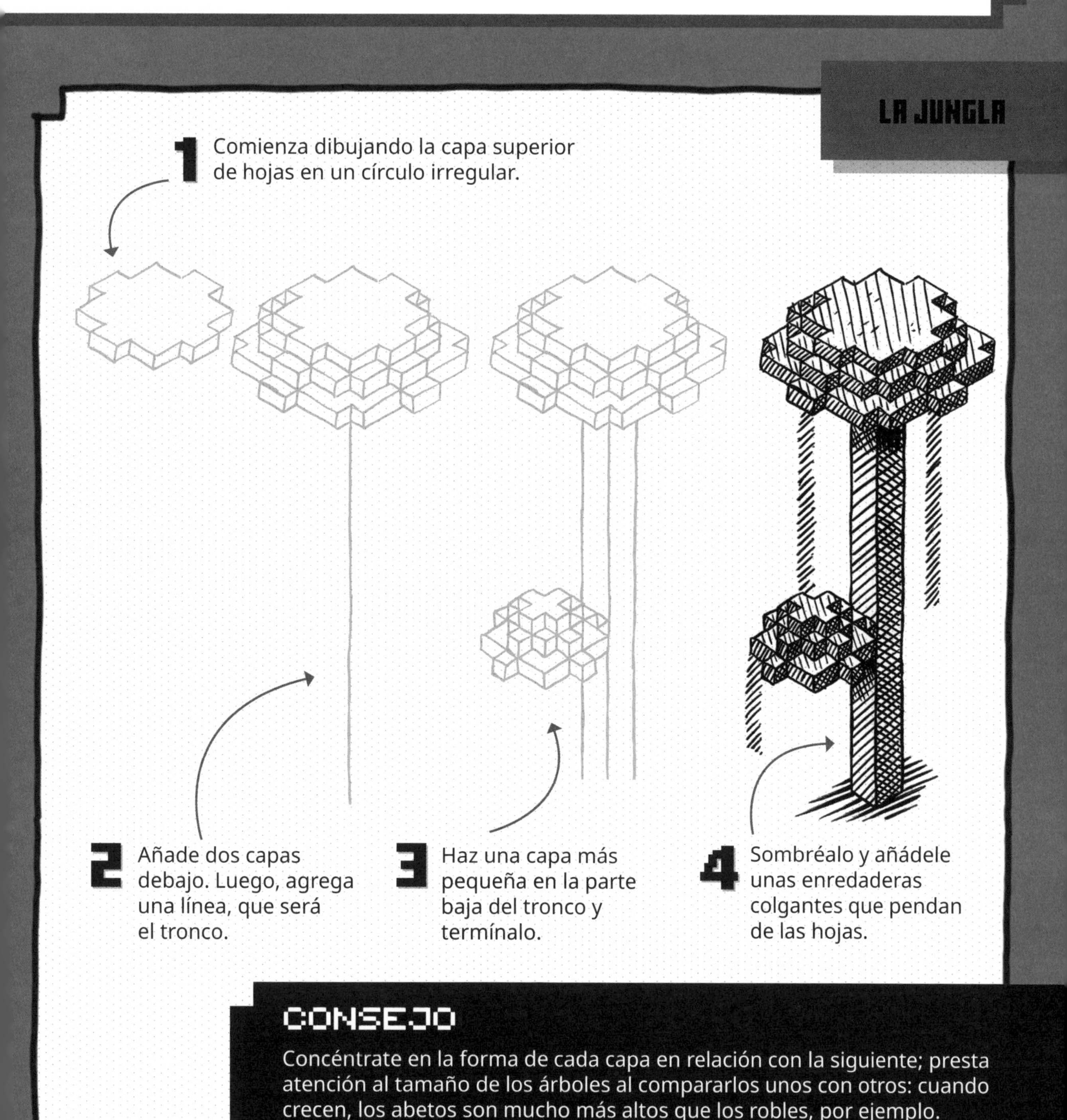

1 Comienza dibujando la capa superior de hojas en un círculo irregular.

2 Añade dos capas debajo. Luego, agrega una línea, que será el tronco.

3 Haz una capa más pequeña en la parte baja del tronco y termínalo.

4 Sombréalo y añádele unas enredaderas colgantes que pendan de las hojas.

CONSEJO

Concéntrate en la forma de cada capa en relación con la siguiente; presta atención al tamaño de los árboles al compararlos unos con otros: cuando crecen, los abetos son mucho más altos que los robles, por ejemplo.

LAS PLANTAS

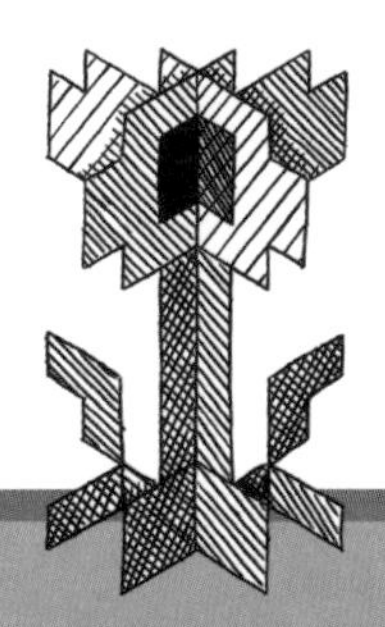

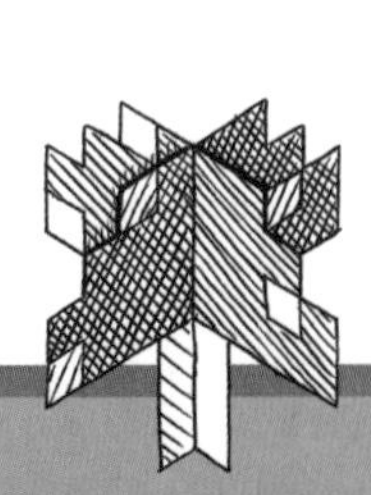

LA AMAPOLA

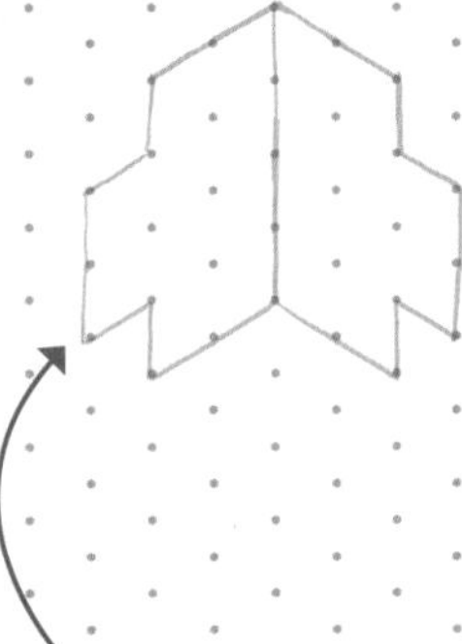

1 Comienza añadiendo dos caras irregulares a la flor.

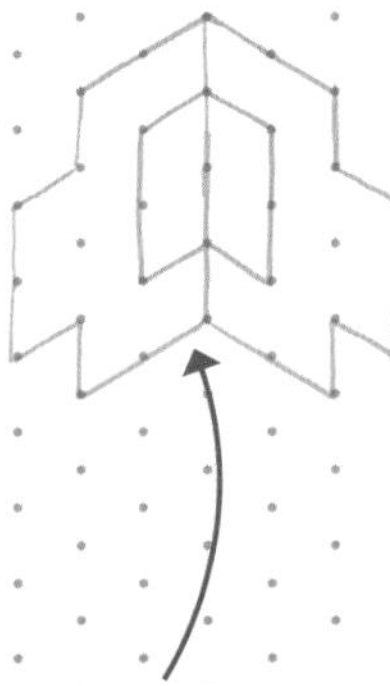

2 Añade un centro a la flor con la forma de punta de flecha.

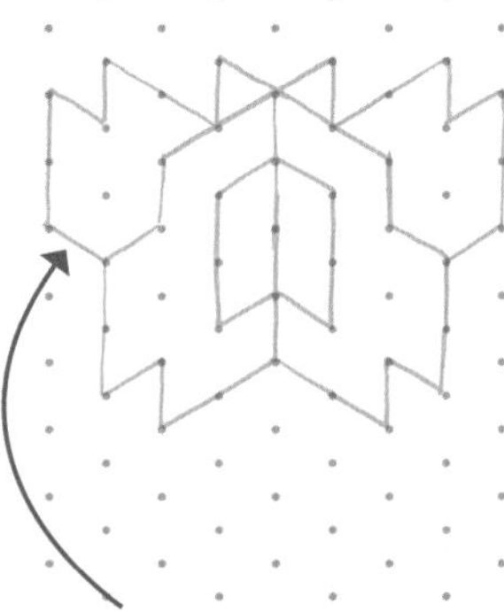

3 Dibuja cuatro pétalos en la parte de atrás.

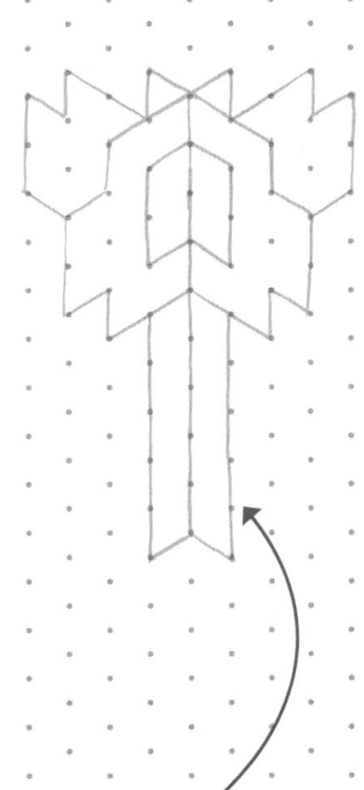

4 Agrega a la flor un tallo largo que salga de ella.

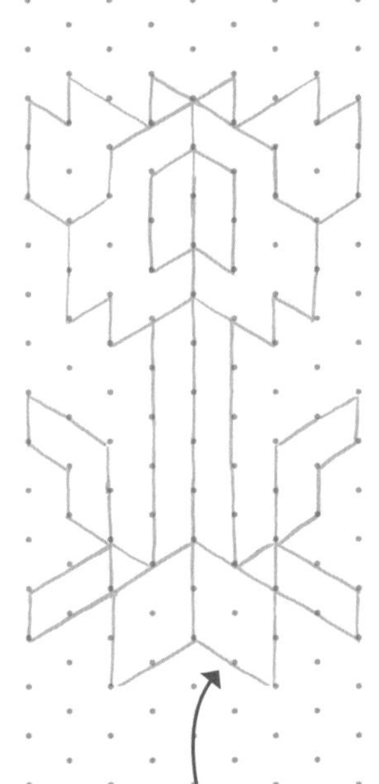

5 Haz una base de punta de flecha con cuatro hojas.

6 Escoge una fuente de luz y sombrea la amapola.

Hay muchas plantas con las que puedes decorar tus escenas. ¡Desde cosechas hasta flores y muchas más! Incluso los champiñones (aunque no son plantas realmente) pueden ser un elemento muy mono que agregar a tus dibujos. Veamos algunas de las plantas que puedes incluir en tus escenas.

EL CHAMPIÑÓN

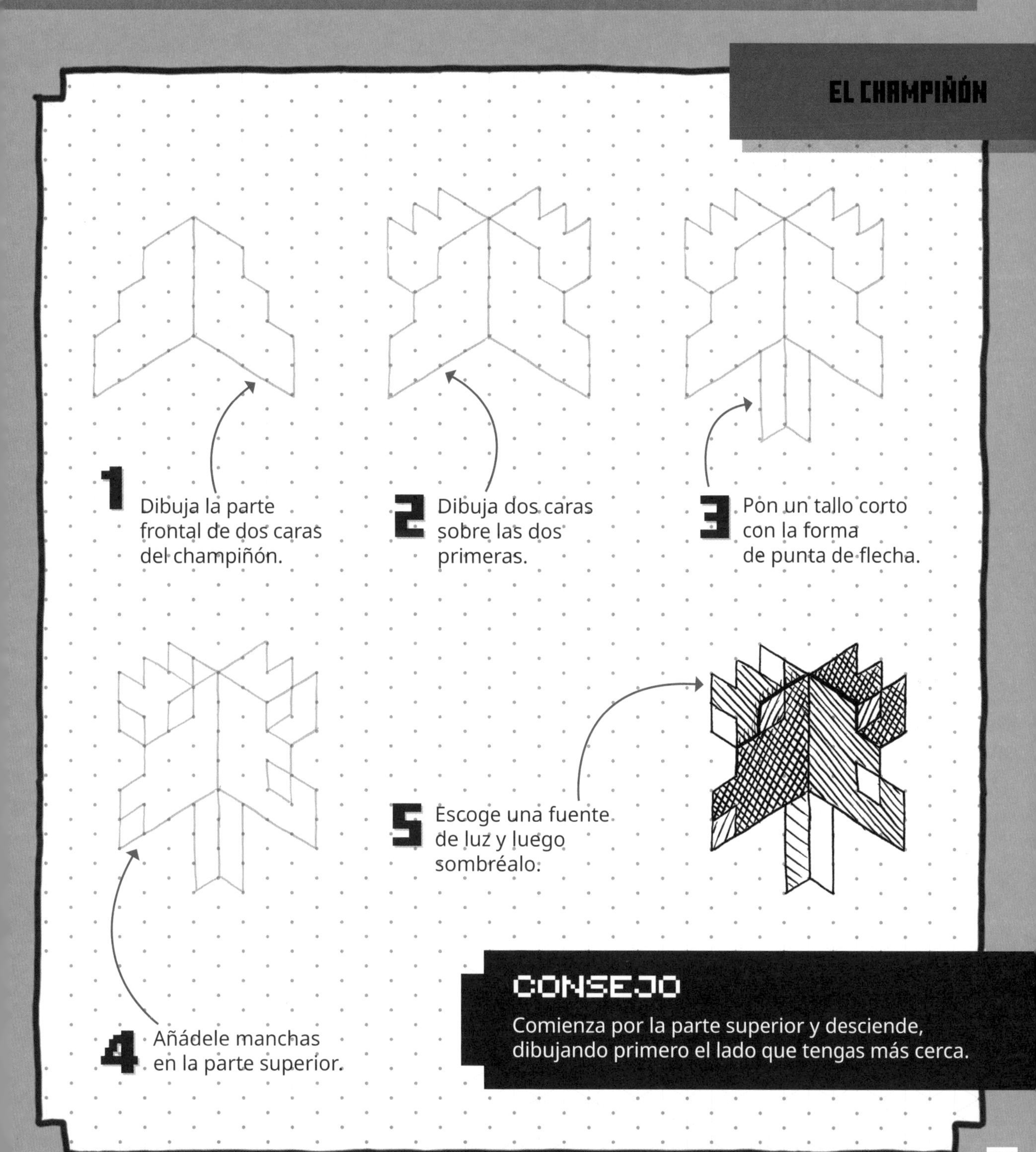

CONSEJO

Comienza por la parte superior y desciende, dibujando primero el lado que tengas más cerca.

CONSTRUYE UNA ESCENA

1

Para empezar, escoge qué estructura vas a dibujar. Puede ser grande, pequeña, complicada o sencilla. Después, ponte a dibujar la base de la estructura.

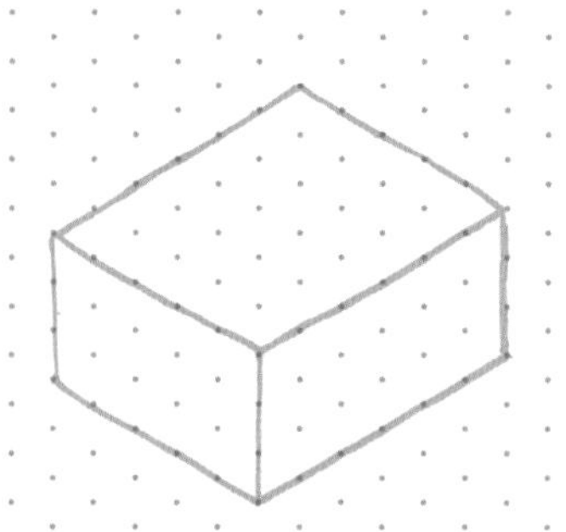

2

Añade el techo y cualquier otro detalle, usando las explicaciones que te hemos dado en las páginas 112 y 113. Aquí, dibujamos un edificio sencillo.

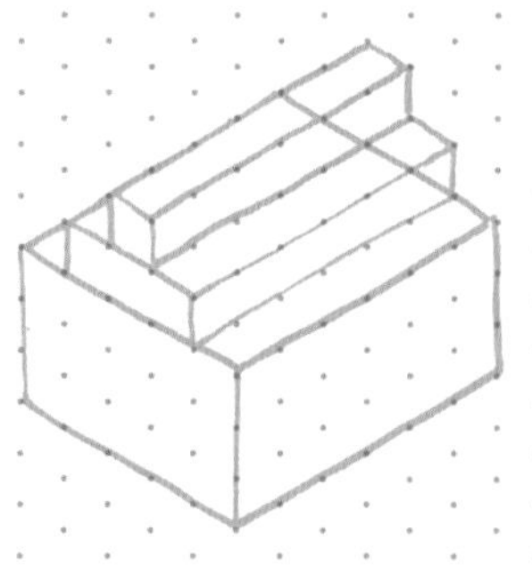

Como ya has dibujado todos los elementos que hay en Minecraft, toca juntarlos en una gran escena. Si utilizas hojas isométricas, podrás crear paisajes enteros con unos ángulos y unas perspectivas que te permitirán ir añadiendo elementos por capas. ¡Escoge un bioma y una estructura y ponte a dibujar!

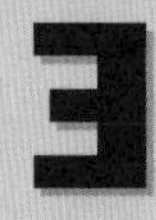

Ahora construye el paisaje alrededor de la estructura. Puedes colocarla sobre una colina, rodearla de una pendiente o situarla en una llanura. ¡Tú decides!

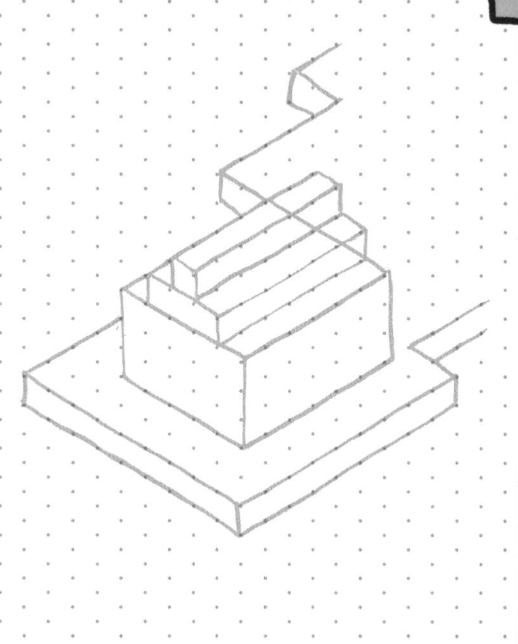

Termina tu paisaje. En esta escena, optamos por añadir colinas en el otro lado de la pendiente para dotarle de más altura y hacerla más interesante.

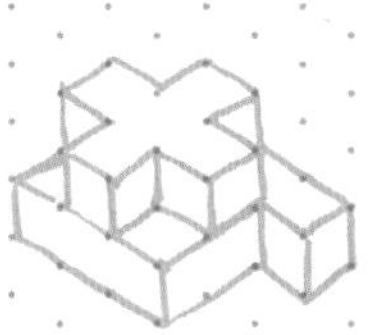

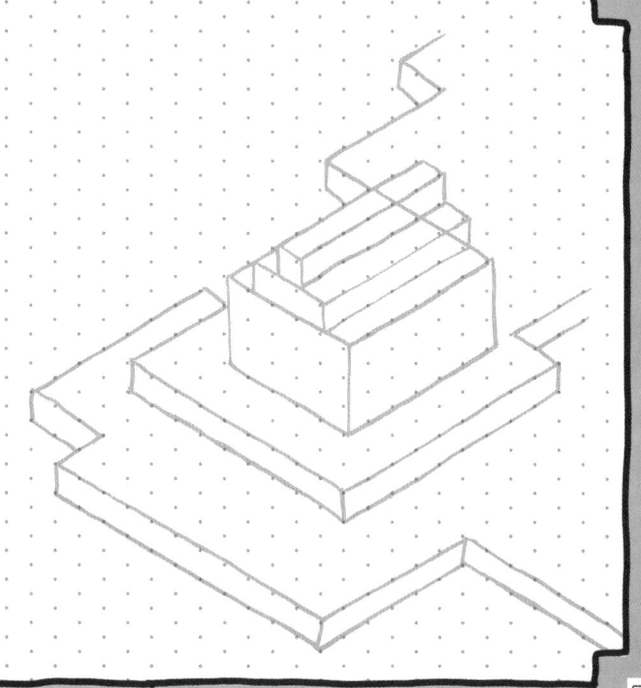

CONSTRUYE UNA ESCENA

5

A continuación, llega la hora de decidir si vas a incluir una masa de agua. Aquí hemos añadido un río serpenteante que recorre el paisaje.

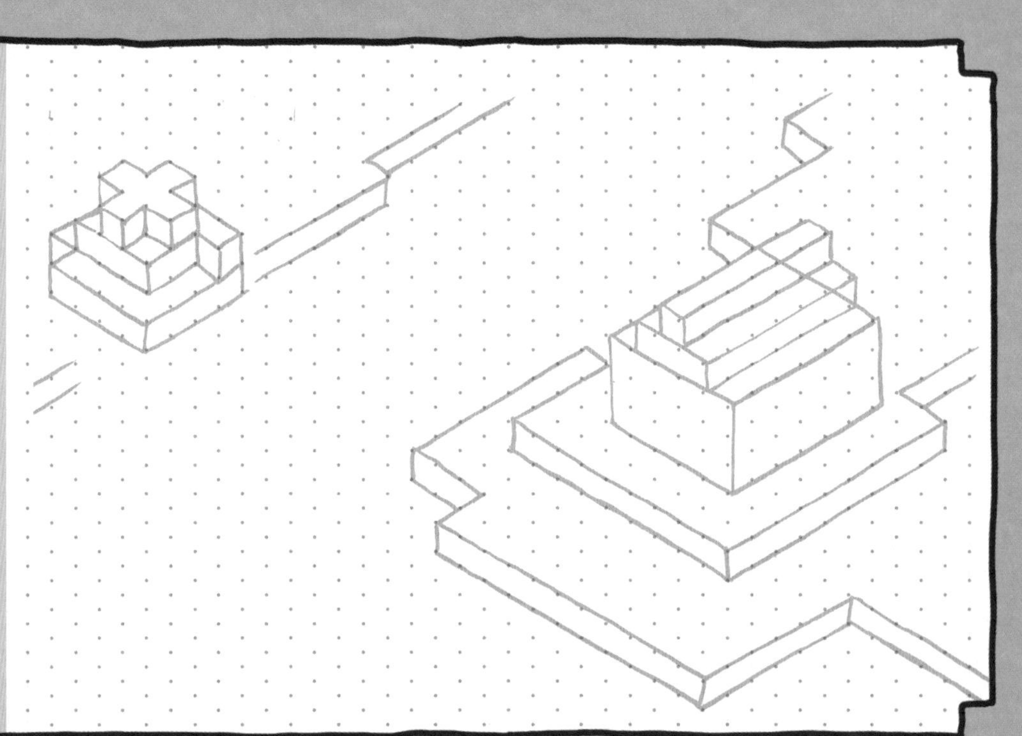

6

Ahora que está más definido el paisaje, debes decidir si vas a añadir algunos árboles a la escena. Sigue los pasos de la página 114.

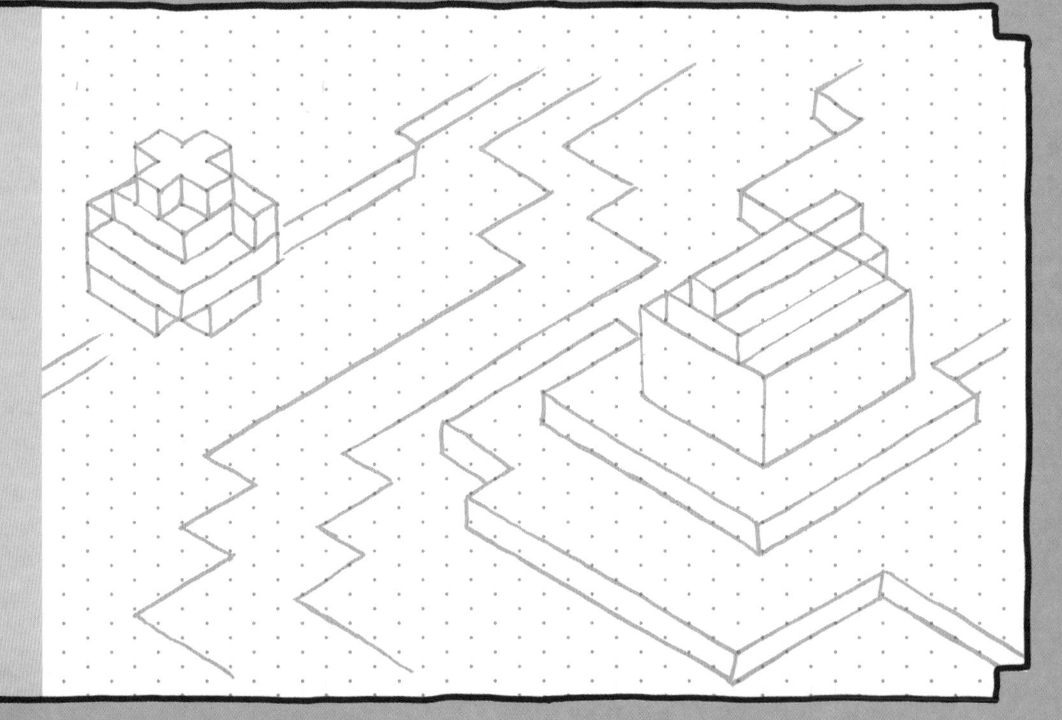

7 Cuando estés satisfecho con la escena, habrá llegado el momento de sombrear. Asegúrate de que hay una única fuente de luz, como puede ser un sol imaginario. Remata el dibujo con algunos detalles: unas flores, unos champiñones, unas briznas de hierba... ¡o incluso algunos mobs muy monos! ¡Dale tu toque personal!

CONSEJO

Si quieres que tu escena esté llena de vida y movimiento, prueba a añadir mobs a tu dibujo. Asegúrate de que los dibujas todos desde el mismo ángulo, ya que si no ¡parecerá que no encajan en la escena!

CONSTRUYE UNA ESCENA

CONSEJO

Decide el bioma donde construir la escena y emplea esta hoja para elegir qué paisaje, qué plantas y qué edificios dibujar.

¡Vamos a construir una escena! Utiliza estas páginas para dibujar paso a paso la escena que te hemos sugerido antes; después, diseña otra desde cero. Escoge la estructura, construye el paisaje, añade vegetación y sombrea los elementos. ¡Las posibilidades son infinitas!

ADIÓS

¿No tienes hojas isométricas? ¡Tranquilo! Aquí tienes un par para que practiques hasta que te sientas lo bastante seguro como para dibujar sin ellas. ¿Qué vas a imaginar primero...?

¡Ya eres un dibujante de Minecraft! ¡Menudo viaje hemos hecho! Hemos aprendido a dibujar cubos y ortoedros, a usar hojas isométricas e incluso qué es la perspectiva. Hemos dibujado a nuestros mobs favoritos y aprendido a construir una escena. Aunque tu viaje artístico no tiene por qué detenerse aquí..., ¡este libro es solo el comienzo! Utiliza estas páginas para seguir experimentando.

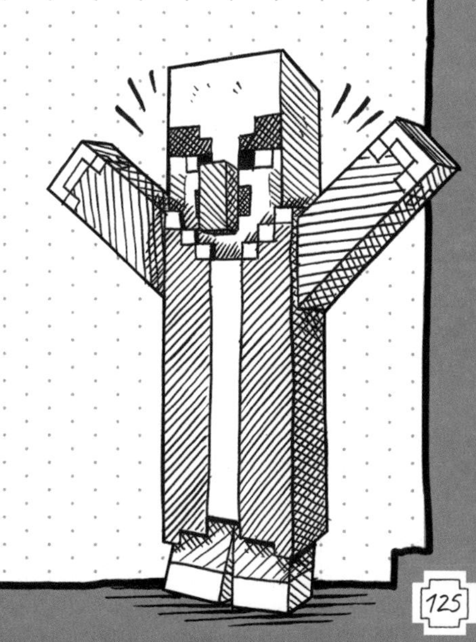

Si no tienes suficiente con estas hojas, puedes comprar un cuaderno isométrico o imprimir algunas hojas isométricas desde Internet.

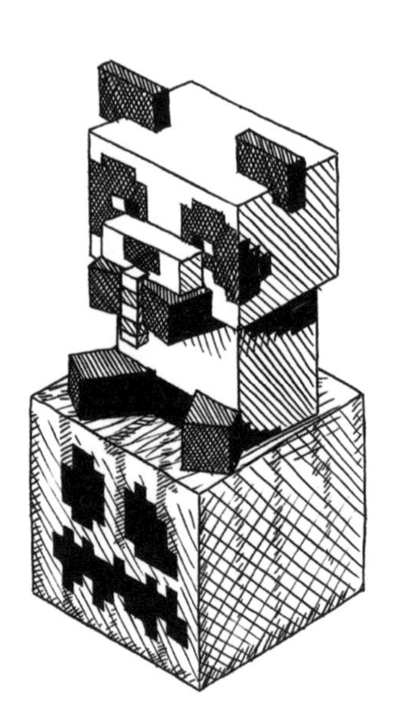